PRESENTAR con Estilo

Dr. Robert A. Rohm
y
Tony Jeary *Sr. Presentación*

Editores de la versión en Inglés:
Guy Harris and Beth McLendon

Colaboró en la traducción:
Carol Shaw

Diseño de portada e interiores:
Pedro A. Gonzalez

Foto de Robert A. Rohm por Rick Diamond

Publicado por Personality Insights, Inc.
PO Box 28592 • Atlanta, GA 30358-0592
800.509.DISC • www.personalityinsights.com

ISBN 0-9773472-1-4

Printed in the United States of America
Primera edición: Septiembre 2007
Segunda edición: Marzo 2010

Dedicamos este libro con todo cariño a ustedes

-- las nuevas estrellas brillantes del comercio.
¡Que por los secretos aquí compartidos, puedan brillar con presentaciones deslumbrantes!

Indice de materias

Prólogo

A través de los años, mis viajes me han llevado a muchas partes. He conocido a mucha gente maravillosa y he tenido la oportunidad de trabajar con personas de talento excepcional. Cuando supe que se habían juntado dos de mis grandes amigos, Robert Rohm y Tony Jeary, para escribir un nuevo libro, ¡me dio tanto gusto! Conozco a estos hombres y el tipo de información que ambos enseñan.

Conocí por primera vez a Robert Rohm en el año 1984, cuando él cursaba estudios de postgrado en Dallas, Texas. Era el pastor de nuestra Clase de Auditorio. Los domingos, por la mañana, venían más de 500 personas a nuestras sesiones de enseñanza. Cuando yo me tenía que ausentar, Robert daba la clase. Siempre tenía un mensaje muy claro que era positivo y práctico para todo el mundo. Mi esposa, Jean "la pelirroja", siempre me contaba lo bien que había hecho Robert al enseñar nuestra clase. Con los años, lo he visto crecer y he estado presente en muchos seminarios nacionales en los que ha enseñado Robert. He visto el enorme impacto que él tiene en el público.

Durante los años mi buen amigo, Tony Jeary, y yo hemos trabajado juntos en varios proyectos. Produjimos en conjunto una serie de videos denominada "Inspire any Audience"(NT). Me di cuenta, dentro de poco, que Tony tiene un talento para ayudar a la gente a expresar lo que quieren decir, pero simplemente no saben cómo. Encontré que Tony sabía mucho del área de la comunicación, un campo de estudio al que he dedicado mi vida entera. A pesar de que Tony posee una cantidad increíble de información y es un conferencista profesional consumado, lo he visto mostrar ternura y prestar ayuda a muchos que aspiran a ser mejores conferencistas.

Robert y Tony son dos de los comunicadores más claros que he escuchado jamás. Cualquiera que desea presentar información a otra persona, grupo o público, se beneficiará mucho de esta nueva obra que juntos han creado.

¡Bien hecho, caballeros! ¡Me enorgullezco de los dos!

Zig Ziglar, Presidente
Zig Ziglar Corporation
Dallas, Texas

NT"Inspirar a cualquier público"

Introducción

Quien debe leer este libro

Como dice Tony Jeary, "La vida es una serie de presentaciones." Si usted da presentaciones de venta a individuos ó a grupos pequeños, este libro es para usted.

Si usted da seminarios o talleres, este libro es para usted.

La mayoría de la gente tiene poco o ningún entrenamiento en el arte de realizar una presentación convincente. Con este libro, hemos unido nuestra experiencia para ayudar a cualquiera que tenga el deseo de ser un mejor presentador.

Cada presentación, desde ventas hasta seminarios, incorpora ciertos elementos comunes. Hemos recopilado estos elementos comunes en lo que llamamos las **6 P's** de *Presentar Con Estilo*: Preparar, Planear, Practicar, Personalizar, Presentar y Persuadir. Se dedica un capítulo a cada "**P**" y hemos incluido un capítulo adicional con algunos conceptos que debe tener en cuenta después de cada presentación. Encontrará también otros consejos prácticos y valiosos para que se convierta en un mejor presentador. Cada capítulo consiste de una colección de consejos prácticos para ayudarle en esa área. Algunos de los consejos se orientan a las ventas, otros se centran más en las presentaciones individualizadas, y aún otros se dirigen específicamente a las presentaciones a grupos. Cualquiera que sea su aplicación específica, hay que leer cada idea. Es seguro que encontrará algo que lo ayudará a mejorar sus presentaciones.

Por qué escribimos este libro

Nuestros abuelos crecieron en una época en que las cosas tomaban tiempo hacer. Antes de la época del teléfono, teléfono celular, telefax, correo electrónico etc., si querían tratar con alguien, pasaban tiempo juntos conversando, cenando y divirtiéndose. Dedicaban tiempo a la formación de relaciones y la resolución de todos los detalles del negocio que hacían. Hubieran pasado una semana entera o más con alguien, simplemente para conocerse mejor y establecer una confianza mutua. Hubiera tomado muchas cartas redactadas con gran esfuerzo, y muchos intercambios personales. formar una relación comercial de largo plazo. ¡Qué interesante es hablar con una persona de tercera edad sobre la manera en que antes hacían los negocios!

Tanto Tony como yo hemos aprendido a usar la tecnología para fomentar nuestros negocios. En el proceso, nos han dejado asombrados los muchos retos nuevos que se nos presentan. Ahora, gracias a la tecnología maravillosa que nos da varias formas de comunicación instantánea, nuestra percepción del tiempo es diferente al de nuestros abuelos. Aunque las relaciones comerciales valen tanto ahora como antes, solemos vernos menos. Ahorramos tiempo con el uso de medios de comunicación que no dependen de estar sentados juntos. Tanto Tony como yo reconocemos que estas nuevas formas de comunicación exigen maneras mejores y más eficaces de usar el tiempo que sí pasamos juntos.

A principios de mi relación laboral con Tony Jeary como mi entrenador de presentación, ambos reconocimos la importancia creciente para el éxito del negocio de hacer una presentación convincente. Ya que la gente pasa menos tiempo frente a frente en el intercambio de ideas, una presentación convincente es aún más esencial para el trabajo eficaz en equipo. En el caso de muchas presentaciones comerciales, nuestra sociedad ha pasado rápidamente de las relaciones personales a un ambiente impulsado por la tecnología. Sin embargo, aún en un mundo impulsado por la tecnología, las decisiones las toman los seres humanos.

Cuando inician una relación comercial, la gente quiere que los convenzan. Primero, quieren quedar convencidos de que pueden trabajar juntos, y luego de que el negocio que realizan será de éxito para ambas personas. Aunque usen las nuevas tecnologías de comunicación, las personas todavía quieren saber que trabajan con alguien conocido, que les agrada y en quien tienen confianza. Por esto, el entendimiento de las personalidades facilita el entendimiento personal necesario para crear este tipo de relación. El comprender esto ofrece una ventaja clara sobre la competencia, aún en el mundo de alta tecnología.

En nuestro mundo de alta tecnología y mensajes instantáneos, seguimos trabajando con otros seres humanos. Formamos relaciones con los demás. Luego, realizamos los negocios o cualquier otra cosa dentro esas relaciones. Para lograr el éxito verdadero, debemos llegar a ser tan hábiles para la formación de relaciones como para el uso de las nuevas tecnologías. Una parte del desarrollo de cualquier tipo de relación, sea de negocios u otra, es la capacidad de entender a la gente. Este entendimiento nace de entender los estilos de personalidad y le facilita una conexión más eficaz con los demás. La otra parte de formar una relación laboral estrecha es la capacidad de hacer presentaciones que comuniquen las ideas claramente y de una forma que impulsa a la gente a actuar.

El trabajar con la gente, sea cliente, colega, o pariente, nos exige aprender a comunicar de manera más efectiva. El objetivo de este libro es eso –ayudarle a comunicar de manera más eficaz.

Este libro, como muchos otros, tuvo origen en el esfuerzo y la colaboración en equipo. Tony Jeary, el *Señor Presentación*™, (en inglés, *Mr. Presentation*™) ofrece un esbozo dinámico de los elementos de una presentación convincente. El personal de Personality Insights y yo aportamos las perspectivas de cada tipo de personalidad en relación con este tema.

Mientras lee este libro, espero que alcance nuevas perspectivas, aprenda nuevas ideas y encuentre técnicas nuevas que lo ayudarán a *Presentar con Estilo.*

Dr. Robert A. Rohm

Fundador y Presidente
Personality Insights, Inc.

> Este libro sirve de enlace esencial entre un entendimiento de los estilos de personalidad y el desarrollo de la capacidad de hacer presentaciones comerciales convincentes.

Acerca de los autores

Dr. Robert A. Rohm

El Dr. Robert Rohm se especializa en entender y enseñar sobre el comportamiento humano. Ayuda a la gente a entenderse a si mismo y a los demás, para así gozar de mejores relaciones y formar equipos más efectivos. A continuación, ofrece sus pensamientos sobre este libro:

> Me preguntan a menudo donde aprendí a hablar en público. Supongo que mi primera presentación fué en mi graduación del jardín de niños, donde fuí el encargado de protocolo (maestro de ceremonias). En seguida, supe que estar enfrente de un gran numero personas, vestido de traje blanco era mi tipo de diversión!
>
> Al crecer, descubrí que era por mi estilo de personalidad (extrovertido) que adoraba hablar y divertir al público. Aprendí también lo importante que es ofrecer algo para cada uno de los cuatro tipos de personalidad **D** - **I** - **S** - **C** cuando esté dando un discurso. (Aprenderá en este libro sobre los cuatro estilos de personalidad y cómo enfrentar cada tipo.) Los tipos "**D**" quieren sustancia genuina que pueden usar y aplicar... ¡AHORA MISMO! Los del tipo "**I**" están contentos si se pueden reír y divertir...¡siempre una parte de todas mis presentaciones! Los tipos "**S**" quieren una presentación estable que no ofende ni hace avergonzar a nadie en el público. Los del tipo "**C**" quieren información honesta, de precisión confiable. El entender a los estilos de personalidad hace que mis presentaciones sean más agradables para el público. Por eso, yo también disfruto más. Le prometo que si usted incorpora a sus presentaciones esta técnica sencilla, aumentará su eficacia tanto en su habilidad para expresarse como en todas sus demás destrezas de comunicación.
>
> Sea cual sea su estilo de personalidad, *¡toma práctica ser conferencista!* He pasado muchos años practicando, hablando en cualquier situación imaginable. Por supuesto,

> he tenido mis fracasos, pero eso simplemente es parte del proceso de aprendizaje.
>
> ***Unas veces se gana, otras veces se aprende.***

Este libro ofrece secretos que le pueden ayudar a ser un mejor presentador de principio a final. A medida que se convierte en un mejor presentador, estos secretos lo ayudarán también a ser ganador.

Dr. Rohm estableció Personality Insights, Inc. en respuesta al creciente interés de la gente sobre su trabajo con el modelo DISC del comportamiento humano, así como su compromiso de compartir esta información esencial con ellos. Sigue riéndose y aprendiendo con su público en todo el mundo.

Tony Jeary

Tony se especializa en dar entrenamiento a otros para que puedan hacer presentaciones convincentes. Aquí tiene un mensaje personal de Tony:

> He invertido casi dos décadas en estudiar y enseñar el *Presentation Mastery*™ *(NT) a otros. A través del entrenamiento y preparación que he dado en todo el mundo, he observado a miles de empresarios exponer mensajes a muchos grupos diversos de personas. He llegado a la conclusión de que la vida es una serie de presentaciones, y la mayor parte de ellas son diseñadas para convencer al público sobre algo o alguien. La capacidad de convencer a los demás para que lo acepten tanto a usted como a sus productos, sus servicios, o sus ideas, es esencial para su triunfo empresarial.
>
> Desde un conferencista motivacional que vende libros y CDs ante un público de 20,000 personas, a un ejecutivo de publicidad que propone una nueva campaña de millones de dólares a un público de cinco, el gran éxito está a la mano para quienes tienen la habilidad de presentar un concepto convincente. Hasta la negociación para la compra de un carro nuevo, una casa, seguros o inversiones requiere la capacidad de presentar las ideas de forma convincentemente.

**NT" Dominio de la Presentación"*

> La gente que realmente saben convencer a los demás – los que ganan más ventas y más acogida - son maestros del detalle. No se olvidan de nada; desde seleccionar la herramienta idónea hasta aprender la estructura organizativa de su público y reconocer lo que realidad necesitan. La presentación convincente es cuestión de una sensibilidad afinada tanto hacia sus propias ideas como hacia su público. Uno puede ser un experto en su campo y tener años de experiencia, pero si sus destrezas de presentación son débiles, no ganará el negocio. Por otra parte, las presentaciones efectivas pueden resultar en ventas de millones de dólares y miles de dólares para obras de buena voluntad.

Por más de veinte años, empresas de *Fortune 100* han solicitado la pericia de Tony por su habilidad única de ayudar a la gente a triunfar ante cualquier público. Como resultado de esta demanda, tanto su empresa de entrenamiento y sus publicaciones han crecido. Cada vez más, la gente pide a Tony ayudarlos a perfeccionar su capacidad de persuadir a los demás. En este libro, él comparte los mismos secretos que enseña a sus clientes de entrenamiento ejecutivo – personas que viajan cientos o miles de millas para asistir a su *Success Acceleration Studio* *(NT) y pagan sumas enormes para la oportunidad de aprender del *Señor Presentación*™.

**NT"Estudio de Éxito Acelerado"*

Dr. Rohm, Tony Jeary y el equipo de Personality Insights todos comparten estas filosofías: "Dar valor. Hacer más de lo que esperan de uno." Usted encontrará a esta filosofía entretejida en las páginas de este libro. Esperamos impartirle a usted esta filosofía mientras lee, porque es lo que busca el público (tanto el suyo como el nuestro). Todos queremos recibir algo más de lo que habíamos pensado recibir. De seguro, esperamos que cada vez que usa usted este libro, sentirá que le hemos dado más de lo que pensaba recibir. El contenido, el diseño y la organización, se armaron todos con atención para minimizar la inversión que ha hecho de su tiempo y maximizar su aprendizaje.

Como aprovechar al máximo este libro

Este libro esta diseñado para ayudarlo a ser un presentador más convincente, al:

Expandir su manera de ver a los elementos de una presentación convincente.

y

Mejorar su entendimiento de la gente a quienes dará sus presentaciones.

Al igual que la mayoría de las personas con éxito, usted quiere ubicar información útil RAPIDAMENTE. Quiere acceso fácil a los consejos prácticos que necesita, y lo quiere de forma oportuna. Por eso nos centramos en datos útiles. También damos ejemplos e historias para orientarle en la aplicación personal. Nuestra meta principal no es tanto de hacerle divertir, sino de equiparle para ganar más en el comercio y en la vida de lo que jamás haya creído posible.

En cada capítulo hemos seleccionado técnicas y consejos prácticos que funcionarán en la mayoría de las situaciones de presentación comercial. Ciertas presentaciones se harán a una o dos personas, otras se darán ante 500 o 5000 personas. Otros caerán en medio. Ciertos consejos son más adecuados para grupos pequeños, otros aplican más a grupos grandes. Le recomendamos leer todos y aprender a aplicar los principios fundamentales a su propia situación.

Para mantener la sencillez, a lo largo de este libro hacemos referencia a las personas que escucharán su presentación como ***su público.*** *Dependiendo de la situación, el público podrá ser un grupo de personas o podrá ser un solo cliente o candidato.*

Los diferentes componentes de cada consejo práctico

El icono de Mensaje Instantáneo indica una clave concisa al concepto. Use este resumen para buscar rápidamente el consejo práctico que necesita. Si usted es una persona que vive a ritmo rápido, ¡puede usar esta sección para echar un vistazo rápido al libro!

El icono de Cita denota los pensamientos de un experto sobre este consejo. Estas son citas citables, así que no dude en usarlas también.

EP ENTENDIMIENTO SOBRE PERSONALIDAD

Entendimiento sobre personalidad amplía su entendimiento del concepto para abarcar su estilo natural de presentación y las perspectivas de personalidad de su público. Algunas ideas están orientadas hacia usted como presentador y con su estilo de personalidad. Algunas perspectivas realzan los tipos de personalidad que encontrará en su público.

Esperamos que ya esté algo familiarizado con el Modelo DISC del Comportamiento Humano. Si no conoce el modelo DISC o quiere un repaso corto, luego de esta sección hemos incluido una descripción breve del modelo.

Para tratar los estilos de personalidad con más profundidad, le recomendamos leer alguno de los otros libros del Dr. Rohm sobre el tema, *Descubra su verdadera personalidad, Hijos Diferentes, Necesidades Diferentes* (con C.F. Boyd) entre otros.

N NOTAS PARA SU NEGOCIO

Notas para su Negocio le ofrece un ejemplo o idea clave para poder integrar el concepto a su negocio. Un punto importante que debe recordar: EMPIECE INMEDIATAMENTE A USAR LOS CONSEJOS PRÁCTICOS. Practíquelos mientras prepara y hace sus presentaciones. El simple leer las ideas no lo convertirán en gran presentador. ¡Tiene que HACER unas presentaciones! Si comete errores, no se aflija. Todos los grandes presentadores han cometido errores. De hecho, hay que cometer algunos errores para poder mejorar. *¡Recuerde que su presentación siempre será una obra en desarrollo!*

Siga haciendo presentaciones. No es necesario terminar este libro antes de poder hacerlo correctamente. Ya ha tenido éxito en el pasado. ¡Estos consejos le damos simplemente para que pueda ser aún mejor!

Este libro intenta ayudarlo aumentar su éxito. Tome cada consejo, uno a la vez, y uselos en sus presentaciones. ¡Use este libro como motivación para las presentaciones venideras, para aprender más en el proceso!

Este libro tiene el fin de ayudarlo a incrementar su éxito. Tome los consejos de este libro, uno por uno, y pruébelos en sus presentaciones. ¡Use este libro como motivación para hacer más presentaciones, para que pueda aprender más en el proceso! Recuerde – ¡aprendemos cuando hacemos!

Personalice cada consejo para sacar el máximo provecho del libro. Use un resaltador o una pluma para subrayar las ideas claves. Escriba sus propios pensamientos en los espacios incluidos. Formule sus propios planes personales para aplicar cada uno de las **6 P's** de *Presentar Con Estilo.*

Entonces, vamos a empezar!

Entender el comportamiento humano

Hace casi dos siglos y medio, los observadores astutos de la naturaleza humana empezaron a notar patrones previsibles de comportamiento. Con el tiempo, estas observaciones dieron lugar al desarrollo del Modelo DISC del Comportamiento Humano para describir estos patrones. El entender estos patrones de comportamiento humano le ayudará a mejor entenderse a si mismo y a los demás. Las gráficas en esta sección ilustran el modelo y le sirven como referencia fácil mientras lee este libro.

Cada persona tiene un motor interno que lo impulsa. Este motor puede ser de ritmo rápido, que hace que cierta gente sea más **EXTROVERTIDA**. O puede andar más despacio, que hace que otra gente sea **RESERVADA**. La ilustración a la derecha muestra la diferencia en forma gráfica. El sombreado de las flechas, de ligero a más oscuro, indica las intensidades variadas de estos impulsos. Acercándose a la línea media hay menos intensidad en la actividad del motor, y por lo tanto está menos sombreado. Hacia la orilla se refleja más intensidad en la actividad del motor y por lo tanto está más sombreado. Usted puede ser muy EXTROVERTIDO o muy RESERVADO. O bien puede ser sólo medianamente EXTROVERTIDO o medianamente RESERVADO.

EXTROVERTIDO

RESERVADO

TAREAS

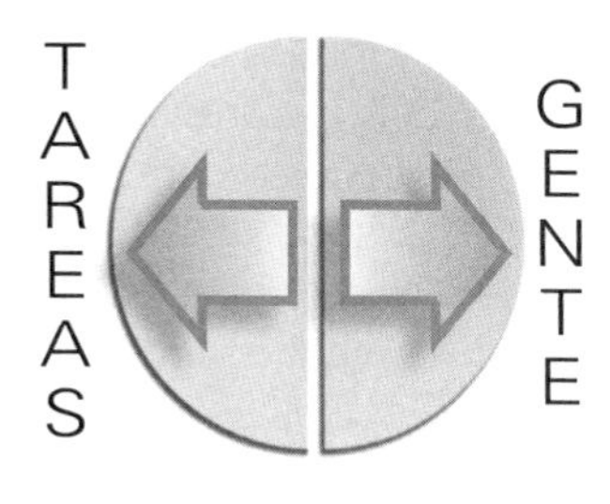

GENTE

Así como todos tienen un motor que los impulsa, todos también tienen una brújula interna que los atrae ya sea hacia las tareas o hacia las personas. Algunas personas son más **ORIENTADOS HACIA LAS TAREAS** – atraídos a las tareas. Otras son más **ORIENTADOS HACIA LAS PERSONAS** - atraídos a la gente. La ilustración a la izquierda muestra esta diferencia de forma gráfica. El sombreado de las flechas, de ligero a más oscuro, indica las intensidades variadas de este impulso de brújula. Acercándose a la línea media hay menos intensidad en este impulso de brújula y por lo tanto está menos sombreado. Hacia la orilla se refleja más intensidad en este impulso de brújula y por lo tanto está más sombreado. Usted puede ser sumamente ORIENTADO HACIA LAS TAREAS o sumamente ORIENTADO HACIA LAS PERSONAS. O bien puede ser sólo medianamente solamente puede ser sólo medianamente ORIENTADO HACIA LAS TAREAS o medianamente ORIENTADO HACIA LAS PERSONAS.

Cuando se unen los dibujos de Actividad del Motor y de la Brújula, se puede ver el Modelo del Comportamiento Humano ilustrado en la próxima página.

En el diagrama de la página siguiente, observe que cada tipo DISC tiene un grupo de palabras descriptivas que se relacionan con las características de comportamiento de este estilo de personalidad. Estas palabras descriptivas reflejan rasgos o tendencias que describen a cada tipo. El rasgo característico principal de cada tipo sirve como la palabra representativa de este tipo: **Dominante, Inspirador, Sustentador,** y **Cauteloso.**

Se nota que la gente:

Extrovertida y Atraida a las Tareas es	**DOMINANTE**
Extrovertida y Atraida a la Gente es	**INSPIRADORA**
Introvertida y Atraida a la Gente son	**SUSTENTADORA**
Introvertida y Atraida a las Tareas son	**CAUTELOSA**

Cuando se habla de los diferentes tipos de gente, puede usarse la siguiente fórmula:

El tipo DOMINANTE	se le conoce también como un	D	ALTO
El tipo INSPIRADOR	se le conoce también como un	I	ALTO
El tipo SERVICIAL	se le conoce también como un	S	ALTO
El tipo CAUTELOSO	se le conoce también como un	C	ALTO

Con su descripción de cuatro estilos principales, o fundamentales, de personalidad, este modelo lo puede ayudar a entender a la gente. Sin embargo, *cada persona mostrará rasgos de cada estilo de personalidad.* Esta mezcla de estilos dentro de cada persona se conoce como una mezcla de estilos. La mezcla de estilos de cada persona incorporará más de ciertos rasgos y menos de otros. Los tipos que en una mezcla de estilos son más dominantes, se conocen como los estilos altos. Los tipos que son menos frecuentes en una combinación estilos se conocen como estilos bajos.

Extrovertido - Orientado a las Tareas	**Extrovertido - Orientados Hacia las Personas**
Dominante **D**irecto **D**uro (Exigente) **D**ecisivo **D**ecidido **D**inámico	**I**nspirador **I**nfluyente **I**mpresionable **I**nteresado en la gente **I**mpresionante **I**nteractivo
Porcentaje de la población: 10–15%	Porcentaje de la población: 25–30%
Porcentaje de la población: 20–25%	Porcentaje de la población: 30–35%
Cauteloso **C**alculador **C**apacitado **C**onsistente **C**ontemplativo **C**uidadoso	**S**ustentador **S**ervicial **S**ociable **S**entimental **S**ensible **S**osegado
Introvertido - Orientado a las Tareas	**Introvertido - Orientados Hacia las Personas**

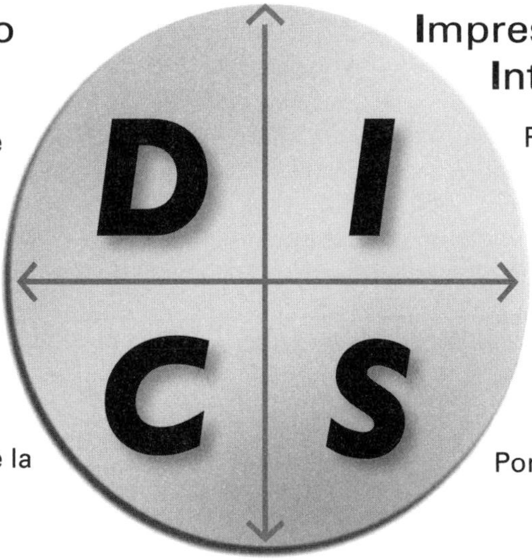

D I C S

Mezclas de estilo de personalidad

Tan sólo un porcentaje muy pequeño de personas tiene una combinación de estilos de personalidad que consiste de solamente un tipo DISC alto. La mayoría de la gente (como el 80%) tiene en sus mezclas de estilos dos tipos DISC altos y dos tipos DISC bajos. Esto significa que en su mezcla de estilos un tipo DISC puede ser el más alto, pero es probable que tenga un tipo DISC secundario que también es alto. Este tipo secundario apoya e influye en el tipo predominante de su mezcla de estilos. Por ejemplo:

- Una persona que tiene el **I** como su tipo más alto y el **S** como su tipo alto secundario, sería un estilo combinado de tipo **I/S**.

- Una persona que tiene el **I** como su tipo más alto y el **D** como su tipo alto secundario, sería un estilo combinado de tipo **I/D**.

Mientras ambas personas en el ejemplo de arriba son del tipo I alto, la diferencia en sus rasgos secundarios los hará personas muy diferentes.

Es menos común, pero no insólito, tener un tercer tipo alto en una mezcla de estilos (ej. **I/SC** o **I/SD**). Aproximadamente el 15% de la gente tiene tres tipos **DISC** altos y un tipo **DISC** bajo en su mezcla de estilos.

Esta mezcla de estilos de personalidad que tiene cada persona ayuda a explicar la enorme variedad que hay entre la gente, a pesar de sólo haber cuatro tipos principales descritos por este modelo.

Cuando miró las palabras descriptivas de cada tipo, es posible que sintió que podía relacionarse con algunas de las palabras en varios, o quizás todos, los tipos DISC. Es probable que los estilos donde la mayoría de las palabras lo describen sean sus estilos altos. Probablemente, los estilos donde sólo una o dos palabras lo describen son sus estilos bajos. Eso está bien. Es simplemente un reflejo de su *combinación única de estilos.*

Usted puede *"descubrir"* su propia combinación única si toma una evaluación de perfil de personalidad. Aunque no es necesario completar una evaluación, el hacerlo le ayudará a aplicar más efectivamente la información de este libro.

Para sacar el mayor provecho de este libro y lograr el éxito más grande posible, le recomendamos completar un Informe personalizado de descubrimiento. Este informe identificará, con gran precisión, la manera en que su combinación opera en la vida y en los negocios. Revelerá sus fortalezas naturales. También resaltará las dificultades que podrá enfrentar para adaptar su estilo. El informe incluye sugerencias específicas para elaborar un plan de acción para ayudarlo a alcanzar un éxito mayor. Aprenda más sobre los Informes de descubrimiento en www. personalityinsights.com/spanish.html

Combinaciones de personalidad

Cuando interactúan dos personas, se unen sus mezclas de estilo para formar una combinación. Esta *combinación* es exclusiva a cada interacción de personas. El agregar una tercera persona al grupo crea otra combinación distinta. El verdadero poder que nace de entender la información sobre las personalidades está en el desarrollo de la capacidad de reconocer estas combinaciones distintas y adaptarse a cada nueva situación.

Si podemos entendernos mutuamente y adaptarnos mejor el uno al otro, podemos disfrutar más y a la vez incrementar nuestra productividad. El libro de Dr. Rohm, *Who Do You Think You Are...anyway?* (NT) por el Dr. Rohm, explica muchos de los factores que operan a favor y en contra de la armonía en todo tipo de relación. En Presentar con Estilo, exploraremos específicamente la forma en que la combinación de su propio estilo con los estilos de su público afecta su presentación. Ofreceremos también consejos prácticos sobre cómo hacer más convincente su presentación en base a los estilos de las personas que conforman su público.

Las buenas nuevas son que ¡usted puede aprender a relacionarse mejor con prácticamente cualquier persona! Su capacidad para entender y aplicar la información sobre personalidades, para formar relaciones más estrechas, se conoce como su ***Coeficiente de Personalidad*** (**CP**). Los expertos en el aprendizaje dicen que hay poco que puede hacer la gente para cambiar su coeficiente de inteligencia (**CI**). Dicen que básicamente se determina el **CI** cuando uno nace. Pero en contraste al **CI**, usted sí puede desarrollar su **CP**. Por lo tanto, puede lograr mayor éxito con cualquier persona que encuentra, sea cual sea su estilo.

NT "Y...¿Usted, quién se cree que es?"

¡Este entendimiento de las personalidades puede ayudar a elevar su efectividad tanto en sus presentaciones como en sus interacciones personales! Use este entendimiento para lograr una perspectiva más amplia sobre cómo hace su presentación y cómo se representa a si mismo y a su negocio. Es su **CP**, no su **CI** lo que le facilita relacionarse de forma efectiva con los demás. *Presentar con Estilo* le ayudará a pasar por los cuatro pasos hacia la mejora de **CP** para que pueda convertirse en un mejor presentador.

Cuatro pasos para mejorar su CP

Entenderse a si mismo al entender su propio estilo de personalidad.

Entender a otra persona al entender su estilo de personalidad.

Adaptar su estilo para lograr mejores relaciones.

Formar mejores equipos donde ¡juntos todos logramos más!

Cuando lee este libro, verá las acciones y reacciones de otras personas desde una nueva perspectiva. Empezará a entenderlos mejor que nunca. Hasta puede empezar a considerar cómo lo vean ellos a usted, también. Al leer cada consejo y reflejar sobre las secciones de Perspectivas a la Personalidad, prepare unos planes de acción e impleméntelos. Disfrute la exploración de cómo puede usted aplicar estos conceptos a su vida y negocios. Estas ideas nos han ayudado inmensamente a nosotros. Estamos encantados de compartirlas con usted.

¡Queremos saber de sus éxitos !

1

Preparar

Una presentación convincente empieza con la preparación completa y a fondo. Muy pocos presentadores triunfan cuando improvisan. Hasta los grandes presentadores veteranos como Tony y Dr. Rohm toman el tiempo para prepararse para cada presentación.

1. Empiece ahora – componga después
2. Arme su arsenal
3. Sepa qué beneficios ofrece
4. Los 7 deseos subconscientes de su público
5. Conozca la verdadera necesidad de su público
6. Encuentre al verdadero comprador
7. El presupuesto de su público

"C CITA

" No hay ningún otro logro que una persona pueda alcanzar que establecerá una carrera y garantizará el reconocimiento con tanta rapidez como la capacidad para hablar ante un público."

– Phillip D. Armour

1. Empiece ahora – componga después

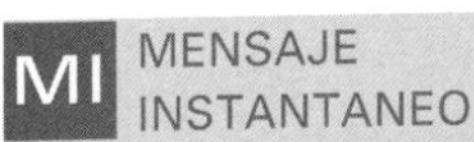
MENSAJE INSTANTANEO

¡Es fatal dejar las cosas para más tarde! Empiece a preparar - ¡AHORA!

Cuando llega la hora de preparar una presentación, muchas personas son expertos en la postergación. ¿Lo es usted? No espere a que llegue el momento "idóneo" para empezar. Empiece ahora. Haga fluir las ideas y apúntelas. Use un bloc tamaño legal, un rotafolio, una pizarra, computadora o cualquier cosa que tenga a la mano. De ser posible, pida la ayuda de otro para juntos buscar inspiración. Saque las ideas principales de su cabeza y póngalos en papel. Este proceso no debe ser nada del otro mundo. Puede que tome solamente diez minutos. No debe ser un proceso largo y penoso, pero hay que empezar. Aunque no es difícil ni lleva demasiado tiempo, mucha gente aplaza o evita este paso. Puede organizar y perfeccionar sus ideas más adelante, pero es duro organizar lo que todavía no está por escrito.

Si uno se pone a última hora a crear una presentación de la nada, se hace daño de por lo menos dos maneras:

1. Sacrifica el tiempo de reflexión, el tiempo que toma procesar y refinar sus ideas. Necesita tiempo para pensar, para que sus ideas puedan germinar y crecer.

2. Es probable que tarde más su preparación. Con tres segmentos de 10 a 15 minutos cada uno, en un total de 30 minutos puede lograr lo que quizás le tardaría de 60 a 90 minutos, o más, de tratar de hacerlo de una sola vez.

Así que, ¡póngase en marcha! Empiece enseguida sepa que tendrá la oportunidad de hacer una presentación. Vaya agregando ideas poco a poco, usando un bosquejo tipo 3-D Outline™. (Explicaremos esta idea en el capítulo 2 - Planificar.) El empezar temprano le ayudará a crear una presentación más convincente.

CITA

" La debida preparación previa previene un desempeño pobre."

- dicho de la Armada (USA)

EP ENTENDIMIENTO SOBRE PERSONALIDAD

Según *The Book of Lists, ("Libro de Listas")* el temor más grande de los estadounidenses es de hablar ante un público. El miedo hace que la gente diga "¡No puedo!" Un entendimiento de sus temores, en base a su estilo de personalidad, le ayudará a reconocer, y abordar, sus temores para que pueda decir "¡Sí puedo!"

Los tipos de personalidad **D** y los tipos **I** son **EXTROVERTIDOS**, por tanto pueden entrar a una presentación sin preparar y sobre confiados. Su confianza les hace verse bien y crea la impresión de una buena presentación. Si invierten más tiempo en la preparación, pueden ir de bueno, a excelente.

Los tipos de personalidad **S** y los tipos **C** son más **RESERVADOS**, entonces tendrán la tendencia de preparar exhaustivamente y aún así pensar que no han hecho lo suficiente. Su preparación sólida hará que la presentación sea buena. Necesitan estar concientes de su tendencia de sobre preparar y de no ensayar lo suficiente.

Los tipos de personalidad **D** temen perder. A menudo rehusarán hacer una presentación si piensan que no lograrán convencer a otra persona. La preparación puede estimular su confianza en su capacidad para triunfar en la presentación y a convencer a su público.

Los tipos de personalidad **I** temen el rechazo. Les encanta la atención que les brinda una presentación, pero suelen posponer la preparación. Esta postergación puede deberse a una de dos razones muy distintas.

1. Pueden sentir que la audiencia va a rechazarlos como persona; entonces, evitan la presentación para que algunas personas continúen su simpatía hacia ellos. ó...
2. Pueden estar tan seguros que la gente va a simpatizar con ellos y que no sienten que necesitan preparar. ¡Están tan seguros de si mismo que pueden convencer a alguien que haga... o no cualquier cosa!

La preparación puede ayudar a los del tipo **I** a centrarse en hacer una gran presentación para su público en lugar de centrarse en sus propios sentimientos.

Los tipos de personalidad **S** temen la incertidumbre. Las presentaciones están llenas de sorpresas y la presión que impone este temor los puede paralizar. La preparación ayuda a los del tipo **S** a cobrar confianza en su capacidad tanto de hacer la presentación como de enfrentar cualquier situación imprevista que pudiera surgir.

Los tipos de personalidad **C** temen lo ilógico. Para ellos las emociones parecen ser ilógicas. Deben aprender a valorar y conectar con los sentimientos de los demás. La preparación les ayuda a desarrollar una pasión por el tema y un aprecio por lo que su público pueda sentir. Sus presentaciones son mucho más persuasivas cuando están convencidos de la validez y precisión de la información.

N NOTAS PARA SU NEGOCIO

Investigue. Ponga en orden sus pensamientos. Apúntelos. Más vale temprano que tarde. La preparación adecuada le ayudará a enfrentar sus temores y superarlos. Una preparación rigurosa hará que su presentación sea mucho mejor.

2. Arme su arsenal

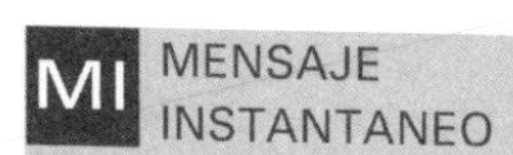

Prepare archivos con citas, anécdotas, historias y testimoniales para consulta rápida. El tiempo que invierte para crear sus archivos le pagará con presentaciones impresionantes.

Citas, anécdotas e historias

Para dar vida a sus presentaciones, cree un sistema de archivos para recopilar y almacenar citas, anécdotas e historias divertidas. Lleve carpetas de recortes de revistas, artículos periodísticos, y apuntes de libros que ha leído para así tener este arsenal de información a la mano para consulta fácil. En la computadora, crea archivos de citas y sus referencias según el tema, para acceso fácil. Llévelos almacenados en su mente, también.

Toma tiempo elaborar una colección de citas, pero vale la pena. Conviértase en coleccionista de citas. Dondequiera que ande, busque citas que coinciden con sus presentaciones. Hasta puede llevar consigo un cuaderno pequeño para apuntar las citas cuando las encuentre. Hay muchos lugares buenos para encontrar citas:

- En Internet (buscar colecciones de citas en línea)
- Periódicos y revistas
- Televisión o películas
- Libros de citas
- Libros de hechos o trivialidades
- Políticos o personajes famosos
- Boletines de organizaciones
- Biografías

Cuando tiene un almacén de citas e historias y cuentos al que puede recurrir, tendrá la cita precisa para cada situación.

Cartas Testimoniales

También vale la pena coleccionar testimoniales. Crea archivos tanto para llevar consigo como para la computadora, con copias de las cartas más actuales e influyentes que ha recibido. Llame o escriba a sus clientes satisfechos y pídales cartas testimoniales en su membrete. Luego puede mostrar o proveer una copia de la carta a un cliente potencial para dar validez a lo que dice. Se recomienda una carpeta de tres aros, donde puede llevar las cartas testimoniales en original, en protectores de plástico. Ponga la carpeta donde estará a la mano para poder fácil y rápidamente copiar, imprimir o enviar a sus clientes potenciales las cartas de mucho impacto. Catalogue estas cartas según su correspondencia a diferentes situaciones.

Una vez que tiene estos éxitos pasados en su mente, en papel, y en su computadora (o dispositivo de mano), puede accederlos fácil y rápidamente para sacar citas de clientes satisfechos con lo que ofrece, e incorporarlos en todas sus presentaciones.

Zig Ziglar, uno de los mejores conferencistas motivacionales y de ventas de los últimos años, es maestro en la aplicación de esta idea. Zig tiene una capacidad maravillosa para inspirar a un público. Su mente es como una computadora que contiene cientos de anécdotas, citas, historias y testimoniales para cada situación. Cuando le llega la hora de dar una conferencia, saca de su memoria el pensamiento, historias, o cita apropiada y lo usa para comunicar claramente la idea precisa.

Zig hace que parezca muy fácil, pero no se deje engañar. Esta capacidad en sí no descarta la práctica y preparación. No importa cuantas veces ha hecho una cierta presentación, Zig aún así pasa horas y horas preparando y practicando para cada charla.

Usted realizará presentaciones mucho más convincentes e impactantes si puede incluir los fragmentos de información, testimoniales, anécdotas e historias más apropiados y aplicables. Para hacerlo, debe contar con una manera de ubicarlos en sus archivos mentales, de papel y de computadora. Cuando los encuentre, organice su presentación en torno a ellos.

Su público recordará las citas, anécdotas e historias. No es probable que recuerden las gráficas o datos. ¿Usted recuerda alguna ocasión en que salió de una presentación preservando en su mente, como el punto culminante del día, una diapositiva de gráficos o datos? ¡Es probable que no! Son las historias lo que la mayoría de la gente recuerda el día después de la presentación.

CITA

" A menudo, los discursos más impactantes no son mucho más que series de viñetas, conectadas entre sí por un bosquejo. "

– Tom Peters

EP ENTENDIMIENTO SOBRE PERSONALIDAD

¡Al Dr. Rohm le encanta contar historias! Como todos los tipos de personalidad I alto, es un narrador natural. Es posible que usted también sea un narrador natural. Si no, puede aprender a contar historias divertidas y cautivadoras. Las historias tocan los corazones de la gente y lo convence de que las ideas que usted ofrece tienen mérito. Cada estilo de personalidad relata las historias de forma distinta. Para aprender a relatar una gran historia, escuche a alguien que tiene el mismo estilo de personalidad que usted y es bueno para contar historias.

N NOTAS PARA SU NEGOCIO

El comercio se fundamenta en las relaciones y se comparte mediante historias personales, tanto suyas como las de sus clientes. Esté formando una relación, haciendo una presentación de uno a uno, a un grupo pequeño o en una conferencia; debe recopilar archivos con cartas testimoniales, citas, anécdotas e historias personales que se relacionan con su experiencia, llegan a su público, y cuadran con el tema de sus presentaciones.

3. Sepa qué beneficios ofrece

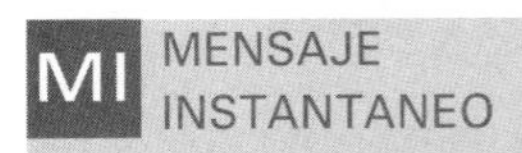

Sepa qué beneficios recibirá su público si toma la acción que usted recomienda. Lo que cuenta no es lo que usted ofrece. Es si lo que ofrece es lo que su cliente necesita. A su oyente le interesa la importancia que tiene para él, no la que tiene para usted.

Considere la redacción de este Mensaje Instantáneo. ¿Qué es lo que le hace a usted y sus productos, servicios o mensaje tan atractivo a su público? ¿Qué es lo que lo destaca de los demás presentadores (su competencia)? Es posible que no sea lo que usted se imagina.

Si está vendiendo un producto o servicio, determine cuáles son las razones principales por las que la gente le compra de usted. Considere tanto las razones lógicas como las emocionales. Luego, desarrolle su presentación en torno a estas razones. Si está "vendiendo" un mensaje, determine el valor que recibirá su público de su mensaje. Contésteles esta pregunta: ¿Qué podrán hacer o ganar si aplican la información que usted les ofrece? Estas razones son los beneficios que recibe su público.

Muchos presentadores invierten muy poco tiempo considerando los beneficios y presentándolos a sus públicos. Por lo usual, los presentadores ponen énfasis sobre las características de su producto o servicio o la lógica de su mensaje, en lugar de los beneficios. El público, sin embargo, quiere saber de qué manera se beneficiará del producto, servicio o mensaje.

Las características favorecen al presentador; los beneficios favorecen al oyente.

¿Por qué es que los presentadores desatienden los beneficios? Quizás sea porque es tan fácil confundir una característica con un beneficio. Si cree tener un beneficio, dígalo en voz alta. Luego, pregúntese, ¿Y eso qué? Si contesta, "Porque esto es lo que hace o tiene el producto" o "Porque, sencillamente, tiene sentido para mi," entonces está pensando en una característica. Pero si satisface la necesidad o el deseo del cliente, ha encontrado un beneficio.

" La gente quiere conocer las características, pero compra por los beneficios."

– Dr. Jeffrey Lant

Thirty Basic Marketing Principles

EP ENTENDIMIENTO SOBRE PERSONALIDAD

Los diferentes tipos de personalidad se interesan por *diferentes beneficios.*

D Los tipos **D** son impulsados a alcanzar una meta o resolver un problema. Busque una *característica* y muéstreles como les beneficia en la **resolución de su problema**.

I Los tipos **I** son atraídos por la imagen. Busque una *característica* que **mejora su imagen**, y estarán convencidos de que les *beneficia.*

S Los tipos **S** están más cómodos con *características conocidos* y muy recomendadas. Si puede mostrar un *beneficio* para sus amigos, familiares o colegas, se animarán más rápido.

C Los tipos **C** requieren información acerca de características especiales. Es posible que ya hayan identificado un deseo por estas características. Si no, después de su presentación las investigarán detenidamente antes de estar convencidos del *beneficio.* De cualquier manera, *antes de tomar una decisión, validarán cualquier información que usted los ofrezca.*

N NOTAS PARA SU NEGOCIO

Algunas personas pueden ya estar familiarizadas con las características y los beneficios de su producto, servicio, o mensaje; pero para mucha gente la información que usted presenta será nueva. Hable con alguien de confianza, y haga una lista de las características y beneficios que usted puede ofrecer. Pide a su público decirle lo que más le interesa acerca de lo que usted ofrece. Si pone atención a sus comentarios, ampliará su forma de pensar acerca de los beneficios que puede ofrecer a personas de diferentes tipos de personalidad. Use este espacio para apuntar sus ideas sobre el consejo: ***Sepa qué BENEFICIOS ofrece usted.***

4. Los 7 deseos subconscientes de su público

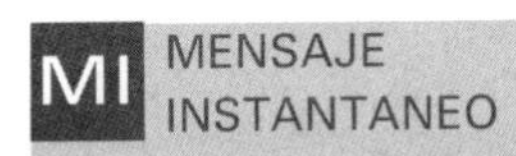

Lo que la gente realmente quiere no es necesariamente lo que ***dicen*** *querer.*

Cada integrante de su público buscará satisfacer ciertas o todas de estas necesidades personales::

1. Pertenecer
2. Ser respetado
3. Gustar a los demás
4. Sentirse seguro
5. Triunfar
6. Hallar el romance
7. Inspirarse

Estas necesidades se conocen como los *Siete deseos subconscientes de la gente*. Estructure su presentación tal que abarca estas necesidades, y hará una presentación convincente.

Si quiere satisfacer las necesidades de su público, debe saber algo acerca de ellos. ¿Qué necesitan? ¿Cómo puede su presentación satisfacer sus necesidades? Demasiados presentadores saltan este paso. ¡No cometa ese error! Aún antes de empezar a desarrollar su presentación, busque comprender las necesidades de su público. El tiempo invertido ahora pagará muchos dividendos más adelante.

En la venta – y en la compra – entra en juego mucha psicología. ¿Por qué es que la gente compra una marca o producto específico? Tome al deseo de pertenecer como ejemplo de las siete necesidades mencionadas arriba. Para satisfacer esta necesidad, es posible que la gente compre por querer pertenecer a un grupo que ya tiene o usa este producto o servicio. Para tratar esta necesidad, busque información acerca del grupo de personas que ya usa su producto o servicio. Luego, revele esta información en su presentación de una forma al que su público actual puede relacionarse. Si quieren pertenecer al grupo que usted mencionó, entonces su presentación los llevará a actuar.

"C CITA *" Déjese impulsar por su público: organice cada idea empezando con las necesidades del público. "*

– Somers White

Ex- Senador de Arizona

EP ENTENDIMIENTO SOBRE PERSONALIDAD

Si quiere preparar una presentación convincente, asegúrese que las ideas que plantea se dirigen a esos 7 deseos subconscientes. Los diferentes estilos de personalidad valorarán más a ciertos de estos deseos que a otros. Cada estilo también juzgará el significado de cada deseo de manera distinta. Por ejemplo, si consideramos el deseo de pertenecer:

D Los tipos **D** alto quieren pertenecer a un grupo de líderes que pone las cosas en marcha.

I Los tipos **I** alto quieren pertenecer a un grupo divertido con quienes es emocionante pasar tiempo.

S Los tipos **S** alto quieren pertenecer a un grupo donde se aprecian las relaciones y hay poco conflicto.

C Los tipos **C** alto quieren pertenecer a un grupo que hace las cosas de la forma correcta y que sigue las reglas.

Queda fuera del alcance de *Presentar con estilo* tratar cada deseo de cada estilo de personalidad. Para los fines de este libro, queremos usted empiece el proceso de reconocer y aprender a tratar estos 7 deseos en su presentación. Encontrará mayor entendimiento de la perspectiva de cada estilo en el libro de Dr. Rohm, *Descubra su verdadera personalidad.*

N NOTAS PARA SU NEGOCIO

Aprenda a responder a los 7 deseos subconscientes de su público, y dará presentaciones convincentes. No es necesario abarcar todos 7 deseos en cada presentación, pero sí necesita aprender a abarcar los suficientes como para tener un impacto emocional sobre su público.

5. Conozca la verdadera necesidad de su público

Como hemos dicho antes, el presentar es vender. Aquí tiene una verdad acerca de las ventas - no se puede vender nada a nadie; ellos tienen que decidir que lo quieren. Su tarea, como presentador, es de ayudar al público a descubrir que ¡*ellos necesitan* lo que usted está presentando! Quiere ayudarlos a sentir intensamente su necesidad, y luego llevarlos a la conclusión de que lo que usted ofrece cumplirá esa necesidad.

Hable con su público para determinar lo que ellos consideran ser importante de su producto, servicio o mensaje. Póngase en su lugar. Concéntrese en entender exactamente lo que ellos quieren lograr y los recursos que ya tienen disponibles para hacerlo. Oriente su presentación para llenar los vacíos que existen en sus recursos actuales.

No de por sentado que ya conoce la necesidad de su público. Muchos presentadores caen en esa trampa. Cuándo usted cree comprender sus necesidades, confírmelo para asegurarse de haber acertado. Además, es posible que su público tenga más de una necesidad importante. Está en el mejor interés de usted conocer, y tratar a todos. Haga preguntas, entreviste a la gente e investigue. Junto con su público ponga las ideas que brotan en un rotafolio, y/o tome muchas notas por teléfono antes de realizar la presentación para identificar sus necesidades VERDADERAS.

Recuerde las preguntas normales de una entrevista: quién, qué, cuándo, dónde, cómo, y por qué. Utilice estas preguntas para revelar sus necesidades. Trate de no abrumarlos con preguntas, más bien formule unas preguntas sencillas y abiertas para obtener la información que usted necesita para crear una presentación convincente. Utilice sus propias palabras y estilo para obtener las respuestas a las siguientes preguntas:

- ¿Quién estará en el público? ó ¿Quién participará en la toma de decisiones?
- ¿Qué es lo que hacen?
- ¿Qué problemas están experimentando?
- ¿Qué los resolvería?
- ¿Cuándo hacen lo que hacen?

- ¿Dónde lo hacen?
- ¿Cómo lo hacen?
- ¿Por qué lo hacen de esa manera?
- ¿Cómo quisieran que fuera?
- ¿Cuándo quisieran resolver el problema?

Registre sus respuestas a estas preguntas. Acuérdese de captar sus palabras precisas para poderlas citar en su presentación.

Cuándo hace la presentación, cuente una historia que se relacione con lo que ha aprendido sobre sus necesidades. Dramatícelo. Ayude el público a reconocer la manera en que la oferta que usted hace cumplirá sus necesidades.

Cuando quiera que usted haga una presentación (en persona, por teléfono, o por videoconferencia), su público lo está analizando. Deben salir de la presentación con la impresión de que *usted está de su parte*, ¡no en su contra! Si busca cumplir sus necesidades en la presentación verán que es un aliado.

CITA

" Muchos conferencistas caen en una trampa común. Abordan un tema desde un solo punto de vista... el propio."

– Lani Arredondo

ENTENDIMIENTO SOBRE PERSONALIDAD

¡Usted puede ayudar a su público a "Descubrir" la forma en que ellos necesitan lo que usted ofrece! DISC le ayuda ver la manera en que la perspectiva de personalidad de cada persona afecta lo que necesita y cómo puede usted manejar esas necesidades. Es una herramienta maravillosa para reconocer las necesidades de otros, en especial cuando sus necesidades son distintas a las de usted.

Los del tipo **D** necesitan resultados. Necesitan saber que su producto, servicio o mensaje los ayudará a resolver un problema, lograr algo, o hacer una diferencia.

Los del tipo **I** necesitan diversión y emoción. Necesitan saber que su producto, servicio o mensaje será divertido para ellos, los hará verse bien, o dará gusto usar.

S Los del tipo **S** necesitan seguridad y protección. Necesitan saber que su producto, servicio, o mensaje creará un ambiente seguro, ayudará a alguien, o ampliará la paz y armonía. Ellos no tienen ningún interés en algo que cause conflicto o estrés.

C Los del tipo **C** necesitan respuestas y valor de calidad. Ellos necesitan saber que su producto, servicio o mensaje ha sido investigado y considerado a fondo. Sólo quieren los productos, servicios ó información de la más alta calidad.

N NOTAS PARA SU NEGOCIO

Todos tienen necesidades sin cumplir. ¡Muestre a su público la forma en que su propuesta los ayudará a satisfacer sus necesidades! El libro de Dr. Rohm, *Descubra su verdadera personalidad*, es un buen recurso para ayudarle a cobrar aún más entendimiento en esta área.

6. Encuentre al verdadero comprador

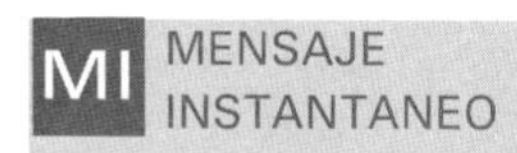

De ser posible, antes de hacer la presentación averigüe quién toma la decisión de compra.

Típicamente, dentro cada organización hay diferentes tipos de compradores. Los *compradores usuarios* son personas que pueden aceptar usar su producto o acoger su mensaje, pero no controlan el dinero. También hay *compradores financieros* - personas que controlan el dinero o ponen las cosas en marcha en una organización. Con frecuencia, los *compradores usuarios* pueden decir "no" a lo que usted propone pero rara vez tienen la autoridad para decir "si". El atender a uno e ignorar al otro es una receta para el desastre y probablemente una pérdida de tiempo. A menudo, las personas en su público son *compradores usuarios*, pero el verdadero jefe es otra persona más. Preste atención a los Compradores Usuarios, pero busque a los *compradores financieros* porque ellos pueden autorizar la firma del cheque y hacer de las cosas una realidad.

A usted le toca determinar quién es quién - *¡pronto!*

Para identificar a las personas con poder decisorio haga preguntas sobre los organigramas, los cargos que ocupan las personas y el funcionamiento de su organización. A veces Tony entrega papel a la gente y les pide dibujar un organigrama. También pregunta dónde encajan en la organización los integrantes de su público. De esta manera puede hacer preguntas basadas en esos resultados. Este ejercicio puede hacerse en una pizarra o un rotafolio sólo cuando se está hablando con unas cuántas personas. Por lo usual, el público revelará quienes en realidad toman las decisiones y los diferentes designios de los actores. Es invalorable este tipo de información, si uno quiere persuadir a su público a tomar acción sobre su propuesta. *¡Da resultados!* Una vez que usted entiende quién toma las decisiones, puede diseñar su presentación como corresponde.

" La única manera de cerrar una venta es llegar a quien realmente toma las decisiones."

– Dr. Jeffrey Lant

30 Principios Básicos del Marketing

EP ENTENDIMIENTO SOBRE PERSONALIDAD

Puede ser que la persona con poder de decidir no sea quién habla más fuerte ni por más tiempo. Este comportamiento tiene más que ver con la personalidad que con el cargo. Los tipos de personalidad EXTROVERTIDOS, los del tipo **D** e **I** normalmente dirán más. La observación atenta le revelará si esa persona es la que en realidad toma las decisiones.

Un amigo nuestro que trabaja en bienes raíces dice que sabe que la persona que toma las decisiones es la persona que va en el asiento de adelante con él, cuando van a ver las casas. Tome el tiempo de descubrir las pistas que darán resultado para usted, en su ambiente, y para los tipos de presentaciones que usted hace con mayor frecuencia.

La genialidad de la estrategia de Tony con el organigrama es que el enfoque no ofende a nadie. Si uno es sensible a las reacciones de su público, funciona sin importar el estilo de personalidad de la otra persona. Este método es excelente para un ambiente comercial.

N NOTAS PARA SU NEGOCIO

Usted puede estar haciendo una presentación a socios empresariales, colegas, equipos comerciales o una pareja. Algunas personas pueden ser *compradores usuarios* y otros pueden ser *compradores financieros*. No presuma saber qué papel cumplen hasta no reunirse con ellos. Su meta es de asegurar que las personas claves necesarias, sin reparar en su posición, acojan lo que usted les ofrece.

El descifrar estos papeles determinantes puede causar estrés y ocupar tiempo. Las palabras amables, discusión paciente, observación astuta, y un oído abierto lo ayudarán a solventar este proceso.

7. El presupuesto de su público

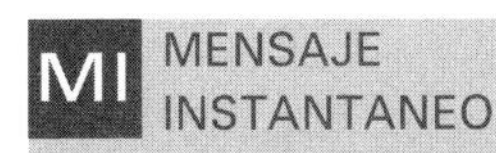

Cuando sea posible, precalifique a su cliente. Ahorre su tiempo y el de su cliente. Si no conoce su presupuesto, su presentación puede fracasar.

En la mayoría de las presentaciones, con el tiempo, entran cuestiones de dinero; dinero para comprar el producto o servicio, dinero para implementar la idea, dinero para lanzar un nuevo negocio.

El hacer caso omiso a cuestiones de dinero puede resultar en el fracaso de su presentación. Si su público tiene temas económicos sin revelar, es probable que no los pueda convencer a su favor.

Pero si usted entiende las finanzas de su cliente, puede evitar hacer una presentación fracasada. La presentación pulida que ofrece cada detalle disponible, pero ignora el presupuesto de su público es una pérdida de tiempo; el suyo y el de su público. Su público tomará acción sólo si la idea que usted presenta cae dentro de su presupuesto. La gente busca el **ROI** – de las siglas en inglés de *Rendimiento de la Inversión*. Algunos buscan **ROI** desde un principio, algunos a medio camino, y otros al final. Pero casi todos toman en cuenta el **ROI** antes de tomar una decisión.

Presente sus bienes, servicios o ideas como soluciones posibles a una necesidad que su público reconoce tener. Si es posible, mencione ejemplos de la vida real de lo que pueden esperar y las experiencias de otros que usan sus productos, servicios o ideas.

A la gente le gusta recibir más de lo que creen merecer. Si usted crea la percepción de que la inversión en los productos, servicios o ideas que usted ofrece serán de alto valor, ¡ellos actuarán!

"C CITA

" No piense en maneras de bajar los precios. Piense en maneras de resolver los problemas de sus clientes."
– Dottie Walters

EP ENTENDIMIENTO SOBRE PERSONALIDAD

Si entiende la composición de personalidades de su público, lo ayudará a interpretar cómo ven ellos su presupuesto.

D Los del tipo de personalidad **D** alto por lo usual ven al presupuesto como algo negociable si los resultados son lo suficientemente buenos.

I Los del tipo **I** alto a menudo harán caso omiso al presupuesto.

S Los del tipo **S** alto dependerán de un presupuesto para efectos de seguridad. Es posible que se escondan tras un presupuesto para no perjudicar su relación con usted. Asegúrese de hacerlos sentir seguros, o no le revelarán a usted su presupuesto.

C Los del tipo **C** alto formularán un presupuesto con mucha atención y luego lo seguirán hasta el último detalle. Para lograr su aprobación, usted tendrá que mostrar un valor excelente por el precio.

N NOTAS PARA SU NEGOCIO

El presupuesto de su público incluye tanto el tiempo como el dinero. Debe respetar la perspectiva que tienen de ambos.

2

Planear

Los escultores cortan, afilan, abren y pulen la piedra para crear un producto final. El cortar, afilar, abrir y pulir convierten la piedra en una escultura, pero deben primero contar con la piedra.

Las necesidades de su cliente, sus ideas, metas, citas y objetivos son para una presentación lo que la piedra es para una escultura – la materia prima. A estos usted los recopiló en la fase de preparación. Cuando los redacta, cambia el orden, los desarma y reestructura; crea una presentación mucho más convincente. Esta obra empieza en la fase de Planificación. Cuando se trata de una nueva presentación, es posible que pase la mayor parte de su tiempo en esta fase. En el caso de una presentación que ha hecho antes, este paso puede consistir solamente de unas pocas adecuaciones para el público destinatario.

" Usted nació para ganar, pero para ser ganador, debe planear ganar, prepararse para ganar y tener la expectativa de ganar. "

– Zig Ziglar

1. Conozca sus objetivos

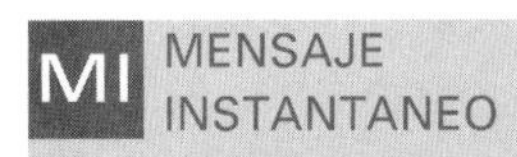

Sepa lo que quiere lograr antes de empezar.

Un objetivo de la presentación convincente es el de motivar a la gente a que tome acción - hacer un pedido, incorporarse a su equipo, hacer algo para mejorar su vida, o simplemente acordar en la selección de restaurante. Pero esto no es el único objetivo. También busca inspirar en su público el deseo de formar una relación duradera con usted. Tome en cuenta el futuro, no sólo el día de hoy. Si está haciendo una presentación en equipo, asegúrese de que todos los integrantes del equipo tengan los mismos objetivos para la presentación.

Para realizar una presentación convincente, deben tomarse en cuenta los objetivos de cada uno de los integrantes participatorios. Considere sus objetivos propios, los objetivos de su empleador o asociado(s), y los objetivos de sus colegas. Desde la perspectiva del público, ellos tienen sus objetivos, los objetivos de sus empleadores o asociados, y los objetivos de sus colegas. El manejo de todos estos objetivos distintos toma concentración, pero no es tan intimidante como parece. Una vez que ha hecho las preguntas preliminares en la fase preparativa, esta equipado para considerar la manera en que su propuesta afecta los intereses de las diferentes partes. Si planea su presentación teniendo en cuenta los intereses de todos, podrá alcanzar todos los objetivos de su presentación.

De forma general, los objetivos principales de una presentación convincente son:

- Proveer información adecuada y precisa.
- Superar las objeciones del público.
- Crear una acción relativa a, o aprobación de, su idea.
- Establecer los cimientos en que podrá formar una relación duradera o fortalecer una ya existente.

Elementos comunes de las presentaciones convincentes:

1 Antecedentes	—	Una historia breve
2 Perspectiva General	—	La imagen global
3 Necesidad	—	El problema que se debe resolver
4 La Idea o La Solución	—	Características y beneficios
5 Prueba	—	La evidencia de que su idea satisfará su necesidad
6 Resumen	—	Recapitular en breve
7 Acción	—	Los próximos pasos

"C CITA

" Un problema bien definido es un problema medio resuelto."

– James M. Bleech

Tengamos Resultados, No Excusas

EP ENTENDIMIENTO SOBRE PERSONALIDAD

Si entiende la composición de personalidades de su público, esto lo puede ayudar a interpretar como ven su presupuesto.

D Los del estilo de personalidad **D** se preocupan por el poder. Los tipos **D** alto usan el poder para tomar decisiones con el fin de resolver problemas. Prepárese para un reto de los del tipo **D** alto que integran su público. Esté listo para ofrecer información de resultado final.

I Para los tipos **I**, el tema es la gente. Los del tipo **I** alto persuaden a los demás mediante la interacción. Se centran en lo que es popular con los demás. Prepárese para proporcionar testimoniales o historias de éxito.

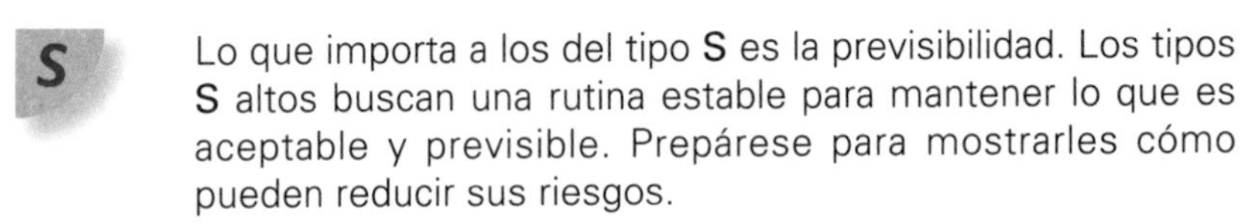

Lo que importa a los del tipo **S** es la previsibilidad. Los tipos **S** altos buscan una rutina estable para mantener lo que es aceptable y previsible. Prepárese para mostrarles cómo pueden reducir sus riesgos.

A los del tipo **C** les interesa al procedimiento. Los del tipo alto procederán conforme a los hechos y buscarán conservar los principios. Prepárese para proporcionar información, responder a las preguntas en detalle, y ofrecerles fuentes independientes donde pueden confirmar la información que usted ha dado.

Si quiere convencer a alguien a tomar una decisión, planee tratar los temas que desde su perspectiva importan más.

N NOTAS PARA SU NEGOCIO

Tómese el tiempo de personalizar su presentación para el público esperado. Mientras planifica, considere su(s) estilo(s) de personalidad. ¿Qué tipos de preguntas o inquietudes han de tener? ¿Cómo puede tratar estas inquietudes durante su presentación?

2. Esquema 3-D (*3-D Outline*™)

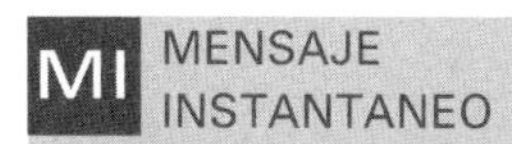

La máxima herramienta de preparación para presentaciones

El Esquema 3-D (*3-D Outline*™) es una herramienta de bosquejo y desarrollo para presentaciones creado por Tony y que él ha utilizado durante muchos años. Lo emplea cada vez que prepara una presentación. Muchos presentadores, en cuanto llegan a saber del Esquema 3-D y cómo usarlo, lo consideran una de las herramientas más valiosas que usan. Este Esquema en 3-D lo ayuda a centrarse en la totalidad cuando es hora de seleccionar sus materiales. Puede elaborar un Esquema 3-D por computadora o a mano, según su necesidad. Esta herramienta le permite aprovechar al máximo su recurso más valioso - su tiempo. A continuación incluimos un ejemplo de un Esquema 3-D. (Para ver el programa en inglés: *3-D Outline Builder*™, visite www.TonyJeary.com.)

Note que el Esquema 3-D (*3-D Outline*™) incluye toda la información esencial necesaria para organizar y crear una presentación convincente.

Tiempo	Que	¿Por que?	Como	Quien (optional)
15 min.	INICIO • Agenda • Objetivo	• Llegar a un acuerdo	• Visuales • Debate	
30 min.	CENTRAL • Pasado • Presente	• Crear una imagen	• Visuales • Lectura / charla	
10 min.	CIERRE • Llamado a la acción	• Fomentar la acción	• Historia de éxito • Solicitar un pedido	
55 min. TOTAL				

Tiempo: Calcule la cantidad de tiempo que tendrá para cada segmento de su presentación. Esto lo ayudará a no exceder sus límites de tiempo.

Que: Identifique cada segmento de su presentación. Incluya sólo las ideas principales que podrá tratar en el tiempo asignado, con sus puntos secundarios apropiados. Use palabras de acción: demostrar, aclarar, mostrar, etc...

Por que: La razón por la que ha elegido los conceptos específicos que mencionará.

Cómo: El método de entrega - presentación, conferencia, discusión, ayudas visuales, testimoniales, etc...

Quién: Indica quién presentará cada sección, cuando se trata de una presentación en equipo.

Desarrolle una secuencia lógica para el segmento "Qué" de su presentación. No se olvide de organizar en beneficio de su público. Cumpla los objetivos de ellos para así cumplir sus propios objetivos.

Algunos métodos lógicos de organización

Del pasado al presente: Presentar los materiales de forma cronológica. Esto funciona bien cuando debe tratar épocas históricas o analizar el desarrollo de un producto, posición o concepto.

Priordad: Presentar los materiales en orden de su importancia relativa.

Ventajas y Desvantajas: Se presentan mediante una explicación de lo positivo o negativo que tiene un concepto. Este método sirve ya sea para presentar material controvertido o para informar a la gente antes de que tomen una decisión.

De dolor a placer: Examinar con los oyentes una situación desafortunada, pero corregible, con una lista de soluciones posibles.

Categorico

Requiere la creación de diferentes secciones para sus materiales. Organice sus materiales en categorías tales como "Características y Beneficios", "Comparaciones Competitivas", o "Héroes y Villanos". Este arreglo por categoría funciona bien cuando hay muchas ideas complejas que debe presentar de forma sencilla.

"C CITA

" Cada discurso necesita una puerta de entrada, tres cuartos, y una puerta de atrás."

– Cavett Robert,

Fundador de la Asociación nacional de oradores

EP ENTENDIMIENTO SOBRE PERSONALIDAD

Un Esquema 3-D (*3-D Outline*™) incluye cada una de las preguntas favoritas que hacen los diferentes tipos de personalidad. Los del estilo de personalidad **D** preguntan "¿Qué?" Los tipos **I** preguntan "¿Quién?" Los tipos **S** preguntan "¿Cómo?" Y los tipos **C** preguntan "¿Por qué?" La genialidad de este bosquejo es que contestará las cuatro preguntas de su diseño, dejándole mejor preparado para cumplir las necesidades de cualquier estilo de personalidad. Este enfoque de bosquejo también introduce a su presentación cierto balance.

3. ¡Lo quieren ver para creer!

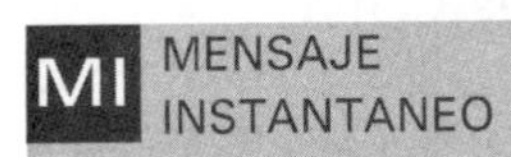

En la frase" Mostrar y Explicar", recuerde que ¡"mostrar" viene antes de "explicar"! Planee lo que quiere mostrar mediante ayudas visuales.

Un estudio hecho en la Universidad de Minnesota descubrió que la probabilidad de persuadir a un público es 43% mayor cuando la presentación incorpora ayudas visuales, que cuando no las incorpora. El estudio también mostró que, cuando se preparan tomando en cuenta el público, las ayudas visuales tienen el beneficio adicional de conferirle al presentador una aspecto más profesional, más creíble, más interesante, más persuasivo y mejor preparado. Pero no se olvide de preservar la sencillez. Las verdades simples, manifiestas o dichas con enfoque y dedicación tienen más peso que los cuadros, gráficos y diagramas complejos.

Las ayudas visuales (herramientas) son de importancia para el éxito de la mayoría de las presentaciones. Si elige hacer una presentación sin ayudas visuales, asegúrese de tener tres otras cosas a su favor: un mensaje breve, contenido estimulante y un estilo de presentación muy animado. De no tenerlos, en la mayoría de los casos algún tipo de ayuda visual mejorará su presentación.

Seis beneficios de las ayudas visuales:

- Lo hace más fácil para el presentador
- Mantiene interesado al público
- Aclara su mensaje
- Simplifica su presentación
- Tiene mucho más impacto emocional
- Encamina su presentación

"C CITA *" No creo haber jamás tenido dudas con respecto a los puntos destacados del sueño, pues su naturaleza es tal que son imágenes y a las imágenes pueden ser recordadas, cuando más intensas se puede recordar mejor que los comentarios y los hechos no concretos."*

– Mark Twain

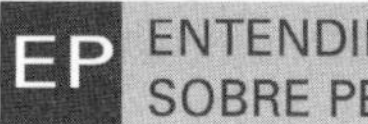

ENTENDIMIENTO SOBRE PERSONALIDAD

Use las ayudas visuales para reforzar las áreas de su presentación en las que por naturaleza lucha. A menudo, estas áreas se relacionan con su estilo de personalidad.

Los del tipo de personalidad **D** suelen apurar sus presentaciones. Las ayudas visuales los ayudan a aclarar sus ideas para no dejar atrás a su público. También pueden usar ayudas visuales para preservar el interés de otros estilos de personalidad, haciendo que sus presentaciones sean más divertidas y agradables.

Los del tipo **I** pueden apreciar las ayudas visuales más porque los ayuda a no perder el hilo. No hay duda de que disfrutarán, pero para que también sean convincentes necesitan el enfoque y los detalles que ofrecen las ayudas visuales.

Los del tipo **S** pueden apreciar las ayudas visuales que incrementan el impacto que tiene su presentación. El proceso de desarrollo de ayudas visuales interesantes y atractivas puede reducir la ansiedad que tienen relativo a la presentación en sí.

A los del tipo **C** les encanta la claridad. Las ayudas visuales sencillas podrán mejorar su presentación. Las ayudas visuales los pueden ayudar a introducir humor y explicaciones simples para así realizar una presentación muy convincente. No deben olvidarse de preservar la sencillez y simplicidad de sus ayudas visuales.

N NOTAS PARA SU NEGOCIO

Las ayudas visuales pueden incluir desde rotafolios hasta pizarras o presentaciones en PowerPoint™ o Flash™. Use la información de Personality Insights para escoger el contenido de ayuda visual idóneo para usted, su tema, y su público para que pueda hacer una presentación más convincente. En el próximo consejo práctico, hablaremos de los tipos de ayuda visual a usar.

4. Una imágen vale más que mil palabras

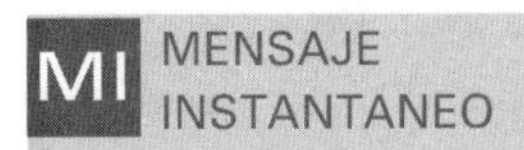

Selecciona cuidadosamente los diferentes tipos de ayudas visuales. Luego, para mayor efecto, varíe las ayudas visuales y la manera como las emplea.

Usted ha decido usar ayudas visuales, y sabe qué es lo que quiere que contribuyan a su presentación. Después de decidir lo que deben mostrar las ayudas visuales, está listo para seleccionar el tipo de ayuda visual que necesita para diseñarlas.

Explore sus opciones. Son muchas. Entre los tipos más comunes hay las presentaciones por computadora (como PowerPoint™ o FlashTM), rotafolios, utilería y pizarras. Cuando decide qué tipo o tipos utilizará, tome en cuenta el tamaño y la composición de su público. En general, cuando el público es más grande, se requieren materiales más grandes y formales. Crea algo que todos puedan ver y que tendrá el máximo impacto.

Nota: Cuando prepara el salón para un grupo grande, la parte de abajo de la pantalla de proyección debe quedar un mínimo de 6 pies sobre del piso. Verifique que todas las personas en el salón puedan ver la pantalla sin obstrucciones.

Software para presentación por computadora

El software para presentación por computadora permite elaborar ayudas visuales emocionantes y flexibles. Si presenta a un grupo grande, puede incrementar la expectativa del público si cuando llegan las personas, hay algo que puedan ver en la parte de adelante del salón. Las presentaciones electrónicas le ofrecen gran flexibilidad para incrementar el interés. En la pantalla puede mostrar la página con el título de su presentación, una cita que hace reflexionar, una caricatura o un logotipo empresarial. La creación de una presentación electrónica de diapositivas ("slideshow") que emplea citas cambiantes u otras técnicas que despiertan el interés puede prestar variedad y provocar interés adicional en sus ayudas visuales de antes de la presentación.

Recuerde que las diapositivas pueden hacer de una presentación buena una excelente, pero siguen siendo simplemente ayudas visuales. No son la presentación misma. Una vez, Tony estaba observó una presentación que usaba tecnología de punta para crear y proyectar sus diapositivas. Las primeras diapositivas eran increíblemente impresionantes. Pero luego de ver unas 20 diapositivas del mismo formato, la monotonía afectó tanto la atracción como la claridad del mensaje. Use variedad en sus diapositivas. Clasifique con cuidado. Sea lógico. Adapte el formato a su estilo y su mensaje, pero no permita que lleguen a ser monótonas. Las diapositivas deben ser sencillas y no sobrecargadas. Deje suficiente espacio en blanco en la diapositiva. Evite la tentación de hacerlas demasiado "pulidas". Recuerde - si pierde la atención de su público hacia su mensaje, también ha de perder su influencia sobre ellos. Una buen técnica para mantener el interés es de intercalar las diapositivas que tienen palabras con las que tienen imágenes.

Rotafolios

Los rotafolios son ayudas visuales poco costosas y muy versátiles. No hay cables de extensión con los que puede tropezar, ni focos que se puedan quemar, ni faltas de compatibilidad en el software que puedan destruyan su presentación. Son lo mejor de la baja tecnología.

Tres maneras básicas para usar los rotafolios:

- Prepárelas antes de tiempo – mostrar todo.
- Revele información a medida que procede la presentación – muestra información página por página.
- Mientras habla. En cada página, escriba apuntes con lápiz muy ligeramente. Usted los puede ver, pero su público los verá solamente cuando usted escribe sobre los apuntes con marcador.

Artículos de Revista

Los artículos de revista son herramientas sencillas y muy útiles para presentaciones uno a uno. Son de terceros y a menudo pueden reforzar su observación o hasta dejarle plantado el argumento. Esta herramienta es una que recomendamos usar para influenciar en presentaciones pequeñas.

Utilería

La utilería es un tipo de ayuda visual especial. Forma un "anzuelo mental" para que en el futuro, cada vez que ve este objeto común se acordará la gente de su presentación. La utilería puede consistir en algo tan sencillo como levantar una copia de un libro o revista de la que ha citado, o bien un guión gráfico, que también sirve de excelente utilería.

Siete consideraciones para escoger y diseñar sus soportes visuales

1 Las estadísticas visuales pueden ser herramientas de persuasión muy efectivas – siempre y cuando las presente de una forma que tiene sentido para su público. Recuerde los **3 Rs** de la presentación de estadísticas:de estadísticas:

Reducir Use el mínimo posible, y solamente presente las más importantes. A menos que las apunten, la mayoría de la gente recordará sólo una estadística clave de la presentación.

Redondear Cuando sea posible, redondee. Por ejemplo, diga 4 de cada 10, en lugar del 39%.

Relacionar: Debe mostrar cómo se relaciona. Use un historia o comparación para ayudar a su público a captar la importancia.

Por ejemplo, "Un documental de PBS sobre la Guerra Civil reportó que 623,000 soldados murieron en la guerra. Después de dar ese número, continuaron para reportar que más soldados habían muerto en esa guerra que en todas las otras guerras en Norteamérica combinadas." Esta estadística es muy útil. La comparación la hace mucho más fácil de recordar.

2 Los gráficos circulares son los más fáciles de usar en una presentación, tanto desde la perspectiva del presentador como del público. Son muy fáciles de elaborar y es fácil para el público entenderlos.

3 Adapte el tamaño de las ayudas visuales al tamaño del salón y del grupo.

4 Tome en cuenta tanto su presupuesto como los gastos de desarrollo de las ayudas visuales.

5 Tenga cuidado cuando programa el tiempo para preparar sus ayudas visuales. La preparación puede tomar mucho más tiempo de lo que se imagina. Empiece temprano para hacer que sus ayudas visuales sean de lo mejor posible.

6 Programe su tiempo de presentación para que el público tenga suficiente tiempo para entender sus ayudas visuales. Evite le tentación de repasarlas con demasiada prisa.

7 Planifique estratégicamente cuándo presentar sus ayudas visuales.

Nota: Debe dejar partes de su presentación sin ayudas visuales para cambiar el ritmo de su presentación

CITA

"Las impresiones visuales son como balas de cañón: llegan con un impacto tremendo. Se clavan. Se quedan."

– Dale Carnegie

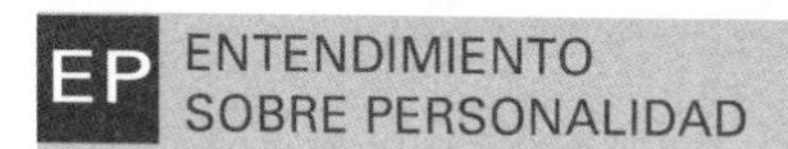

ENTENDIMIENTO SOBRE PERSONALIDAD

Las ayudas visuales pueden ayudar a que su presentación sea más atractiva para una variedad de personalidades. Pida a alguien cuyo estilo de personalidad es el opuesto al suyo, observar y comentar sobre sus ayudas visuales. Cuando usan este consejo, debe recordar los consejos a continuación:

D A los del tipo **D** les gustan las listas de puntos principales y ayudas visuales orientadas hacia los resultados.

I A los del tipo **I** les encantan las ayudas visuales divertidas. Use imágenes o dibujos graciosos para atraer a los del tipo **I**. A ellos también les gustan las listas de puntos principales.

S A los del tipo **S** les gustan las ayudas visuales que imparten un sentir de bienestar relativo a la información. Los del tipo **S** son atraídos por imágenes de personas.

C Los del tipo **C** quieren hechos y datos. Asegúrese de que todo esté correctamente escrito o no confiarán en su presentación.

N NOTAS PARA SU NEGOCIO

Es posible que su instructor o mentor ya tenga ayudas visuales disponibles para sus presentaciones más comunes. Si usa una pizarra o rotafolio, practique para que lo que hace se vea de primera.

5. Citas para ganar credibilidad

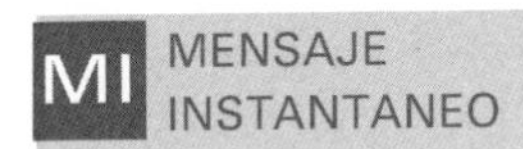
MI MENSAJE INSTANTANEO

Las citas bien planeadas aumentan su credibilidad y fortalecen su mensaje.

Las citas significativas y bien planeadas le imparten a usted y su mensaje mayor credibilidad. Este concepto es bien conocido, pero a menudo se pasa por alto. Se conoce este concepto como la *Transferencia de confianza.* Tony trata este tema a fondo en la sección de "Siete Secretos Fundamentales" en su gran libro *Inspire any Audience* (NT) Cuando inyecta citas y referencias pertinentes, se transfiere a usted y su mensaje la confianza o credibilidad que goza la persona o el libro al que ha citado.

Use las citas para reforzar su mensaje. Su público agradecerá la sabiduría que ha sobrevivido el paso del tiempo. Cuando usa citas, considere su público y sus estilos de personalidad. Las citas más efectivas tienen una relación específica con el tema a tratar, le resultan fáciles a usted decir, y provienen de una fuente que su público conoce. Si no la puede expresar claramente o la fuente es demasiada desconocida, la cita puede dañar, en vez de ayudar, su causa.

CITA

" La investigación es como la extracción del oro. Para encontrar una pepita hay que mover mucha tierra."
– Stew Thornley

EP ENTENDIMIENTO SOBRE PERSONALIDAD

Las citas le dan credibilidad e inspiran en su público confianza, en usted y en su mensaje. Los diferentes tipos de personalidad se convencen de diferentes maneras. Por ejemplo:

Los del tipo **D** dan peso a las declaraciones directas, orientadas hacia los resultados, y personas poderosas y de éxito.

A los del tipo **I** les gusta escuchar citas e historias de gente famosa y de éxito.

NT"Inspire a cualquier público"

S A los del tipo **S** les da seguridad la presentación amable de probada sabiduría.

C A los del tipo **C** les gustan citas que salen de estudios de investigación, encuestas y expertos en el campo que mejor encaja con su mensaje.

N NOTAS PARA SU NEGOCIO

Este consejo separa a los presentadores excelentes de los buenos. Haga el esfuerzo de escuchar a otros presentadores, hable con líderes comerciales y lea libros que ofrecen información específica a una industria o tema, para acumular citas que aplican. Luego guarde y clasifíquelos al igual que hace con sus cuentos o historias. Recuerde el consejo de "Arme su Arsenal". Este consejo enlaza su presentación.

Asegúrese de guardar cualquier cita que saca de materias promocionales y sitos en Internet para que pueda consultarlas fácilmente. Si tiene un instructor o mentor, ¡es posible que lo pueda proveer muchas citas esenciales para ayudarle a empezar!

6. Transiciones para enlazar intervalos

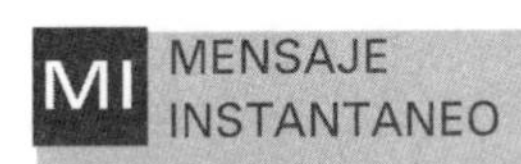

Las transiciones juntan el final de un punto con el principio del próximo.

Las transiciones proveen un flujo natural entre los puntos claves de una presentación. Son instrumentales para crear y preservar el interés del público. Aquí tiene unas guías sencillas para crear buenas transiciones.

- Deben ser cortas.
- Use declaraciones que atraen la atención.
- Use humor o declaraciones inesperadas (si son apropiadas).
- Use pausas, gestos, lenguaje corporal, y cambios de voz.
- Use estadísticas de verdadera importancia.

Unos ejemplos de transiciones:

1. 1. "Entonces, para continuar con nuestro tiempo juntos hoy, pienso mostrarles que _______________ ."
2. "Una vez visto... observaremos... _______________."
3. "Además de estos logros, también hemos podido _______________________________ ."

Puesto que la gente puede escuchar cuatro veces más rápido de lo que usted puede hablar, las mentes suelen distraerse aún durante las presentaciones más cautivadoras. Use frases de señal como: "*Lo que es importante de esto es...*" o "*Es imposible sobre enfatizar que....*" Estas frases de señal atraen la atención de su público a las partes más importantes de su mensaje.

Una transición efectiva es como un buen puente. Cierre la brecha entre sus ideas. Al igual que un puente a menudo se convierte en punto de referencia en un viaje, con frecuencia una transición resume la observación que acaba de hacer. Cuando está listo para resumir al final de su presentación, puede referirse a esos puntos de referencia para ayudar a su público a conectar intelectualmente con su mensaje.

2

"C CITA *"No es por sus metas, sino por sus transiciones que el hombre es grande."*

– Ralph Waldo Emerson

EP ENTENDIMIENTO SOBRE PERSONALIDAD

Las transiciones son buenos puntos de referencia que tienen diferentes propósitos para cada tipo **DISC**.

D Los del tipo **D** deben usar las transiciones para asegurarse de no pasar muy de prisa por sus puntos, y de no perder a su público.

I Los del tipo **I** deberán usar las transiciones para verificar el tiempo y asegurarse de seguir enfocados.

S Los del tipo **S** pueden necesitar las transiciones para recibir reacciones alentadoras, como una sonrisa o un suspiro profundo. También pueden usar las transiciones para proveer a su presentación un punto fuerte.

C Los del tipo **C** pueden usar las transiciones como momentos para verificar el impacto emocional o personal que tienen sobre su público.

N NOTAS PARA SU NEGOCIO

Cuando escucha a otros presentadores, note las transiciones que usan. La manera en que un presentador hace las transiciones puede darle a usted ideas sobre el tipo de transición que le ayuda a uno seguir atento al presentador, lo que a uno le gusta escuchar, y lo que uno mismo quiere usar. Las transiciones efectivas hacen la diferencia entre una presentación que cautiva a la gente y una que la pierde. Debe planificar la creación de transiciones efectivas. No sucederán "de por sí".

7. Espontaneidad planeada

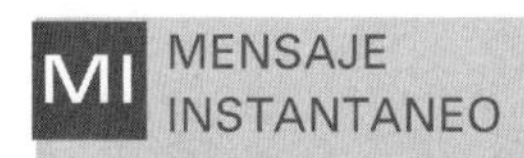

La clave a la espontaneidad es la planificación meticulosa y la preparación.

El dominio completo de su material le otorga tres ventajas claras como presentador:

1. La credibilidad con su público.
2. La confianza para improvisar cuando sea apropiado, y
3. La capacidad para contestar las preguntas con autoridad.

Su audiencia debe saber, no por lo que les dice explícitamente pero por lo que se les muestra en su confianza, que tiene mucha información sobre este tema.

Su público debe saber - no por lo que usted diga explícitamente sino por lo que muestra por su confianza - que tiene mucha información sobre el tema.

Lo ideal sería saber de cinco a diez veces más información de lo que el tiempo le permite presentar. Este "margen de información" le dará a usted mucho más confianza. Con tanta información a su disposición, sería difícil que un miembro de su público le hiciera una pregunta u objeción inesperada. Cuando tiene este tipo de confianza sentirá una gran libertad. La espontaneidad fluye cuando se planea y prepara rigurosamente.

Durante la planificación, vaya formando un abasto de "réplicas ingeniosas" que puede usar cuando sucede lo inesperado. Prepare una respuesta breve e ingeniosa para cuando el micrófono deja de funcionar, cuando se quema el foco del proyector, o cuando se olvida lo que iba a decir. A su público, suena original. No importa que lo haya usado ya miles de veces.

Cuando era niño, Jim Carey (NT) pasaba muchas horas ensayando expresiones cómicas delante de su espejo. Ahora puede ganar una fortuna en un santiamén, haciendo reír a millones de personas. Aunque sus expresiones salen de la práctica, sus emociones son frescas. Las podemos disfrutar una y otra vez pero son se produjeron por accidente. El las planeó y las practicó intensa y deliberadamente.

NT actor cómico estadounidense

CITA

"Toma tres semanas preparar un discurso improvisado"

— Mark Twain

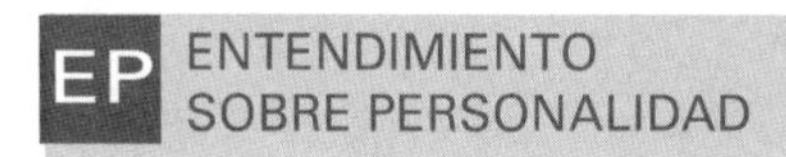

ENTENDIMIENTO SOBRE PERSONALIDAD

La espontaneidad tiene diferente significado para diferentes tipos de personalidad. Los del tipo **D** y **I** suelen pensar que la espontaneidad significa, literalmente "sobre la marcha". Los del tipo **S** y **C** piensan que la espontaneidad significa decir algo en su presentación que no tenía en sus apuntes. Les animamos a que planifiquen su espontaneidad, y sean espontáneos en su planificación. Si está haciendo una presentación en equipo, asegúrese de planificar su espontaneidad para que los miembros de su equipo puedan saber a donde se dirige. ¡No los sorprenda!

N NOTAS PARA SU NEGOCIO

Lea los libros y escuche grabaciones en audio de otros presentadores sobre su tema. Esta preparación continua aumentará su conocimiento y por tanto aumentará su espontaneidad. A medida que crece su conocimiento, mayor profundidad tendrá su presentación. Su capacidad de añadir ejemplos espontáneos también crecerá. Mientras va ganando experiencia, acuérdese de los momentos en que usó una gran "réplica ingeniosa" para que la pueda volver a usar como espontaneidad planificada. Planee la espontaneidad para que pueda preservar un sentido del humor y adaptarse a circunstancias imprevistas.

8. La curiosidad

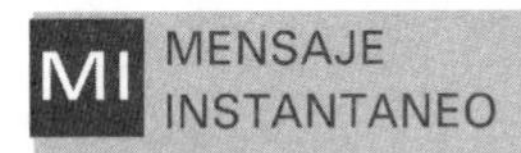

La curiosidad puede haber matado al gato, pero produce muchas ventas. Despierta la curiosidad para atraer a su público.

Planee soltar al principio de su presentación trocitos de información y preguntas abiertas, como semillas de la curiosidad. Cuando deja las ideas a medio tratar y sin completar, retiene el interés y participación de su público hasta el final. Esta técnica es una herramienta de mucho impacto. Un ejemplo de cómo puede aplicar este consejo a principios de su presentación sería prometer algún tipo de recompensa para el final de la presentación. Puede soltar una pregunta y prometer un premio a cualquier persona que la pueda contestar al final de la presentación. Llámelos soborno si así quiere. Pero cuando su público sigue escuchando, aunque sólo sea para ganarse el premio, de todos modos están atentos.

Johnny Carson(NT) era maestro del uso de la curiosidad. Empezaría a contar un chiste, pero no lo terminaba. Contaba unos cuántos chistes más y por fin, regresaba al remate del primer chiste incompleto. Este estilo de presentación creaba un lazo abierto con el que tenía pegado a sus asientos su público. Use la curiosidad a su ventaja. Planee como incorporarla durante su presentación.

Cuando aplique este consejo, no se olvide nunca de cerrar el lazo al final de la presentación. Si se le olvida cerrar el lazo, el público recordará que no cumplió con un compromiso tácito.

" En sí, el arte de enseñar no es más que el arte de despertar la curiosidad natural de las mentes jóvenes para poderla satisfacer después."

– Anatole France, Autor francés
Premio Nobel de Literatura 1921

(NT) *Legendario presentador de televisión.*

EP ENTENDIMIENTO SOBRE PERSONALIDAD

Los diferentes tipos de personalidad pueden sentir curiosidad de diferentes cosas.

D Los del tipo **D** sentirán curiosidad por saber de resultados y acciones.

I Los del tipo **I** sentirán curiosidad por saber cómo terminan las historias, los relatos emocionantes, y los remates de los chistes.

S Los del tipo **S** sentirán curiosidad por el impacto sobre las personas y las relaciones.

C Los del tipo **C** sentirán curiosidad por la coherencia y la lógica.

Si alguien hace una pregunta a la que no esta listo contestar, úsela como oportunidad para crear curiosidad. Diga simplemente, "Me alegro de que haya preguntado ______________________ . Hablaré de eso cuando nos aproximamos al final de la presentación. ¿Puedo contestar para entonces?"

N NOTAS PARA SU NEGOCIO

Con miras a la curiosidad y el suspenso, deje cierta información sin revelar. No presenta todo lo que sabe de una sola vez. Dígales lo suficiente como para captar el interés, pero no tanto como para aburrirlos. Despierte su curiosidad para así centrarles en lo que usted dirá.

9. Confirme la comprensión

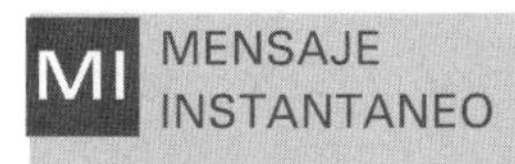

Hay poder en la absoluta claridad. Asegúrese de preservarla cuando habla.

Escriba los objetivos que estableció anteriormente y pruébelos contra el Esquema de 3-D (*3-D Outline*™) y la presentación que ha desarrollado. Confirme que haya correspondencia entre la estructura en general, los objetivos, y el mensaje de su presentación y las necesidades de su público.

Como mínimo, debe contestar estas preguntas para confirmar que todo quede en claro:

- ¿Qué acción es la que quiere que hagan?
- ¿Como puede vencer algunas objecciones que puedan tener?
- ¿Cuán fuerte es el caso que usted puede hacer?
- ¿A qué responde mejor la audiencia? ¿La estadística, el humor, el énfasis en el valor, o una combinación de éstos?

Aclare sus objetivos. Asegúrese de enfocar su presentación a las preguntas del este párrafo. Ahora, use las cinco preguntas a continuación para probar lo que piensa decir.

Cinco preguntas sencillas para ayudarle a mantener la claridad

1. Si tuviera solamente 180 segundos para dirigirse a este público, ¿absolutamente qué tendría que decir para comunicar su mensaje?

2. ¿Qué es lo que le destaca a usted de cualquier otra persona a quien oirán?

3. ¿Por qué se acordarán de usted, su producto, sus servicios, o su solicitud?

4. Si su público tuviera que describir lo que dijo usted, ¿qué querría que dijeran?

5. Si se escribiera un titular de periódico acerca de su presentación, ¿qué querría usted que dijera?

Este tipo de prueba de su mensaje lo dejará claro en su mente. Lo ayudará a garantizar que sus objetivos concuerdan con los objetivos de su público. Cuando usted y su público tienen los mismos objetivos, su presentación será más convincente.

CITA

" Antes de preocuparse por el camino hacia sus resultados, determine los resultados que quiere alcanzar."

– Lilly Walters

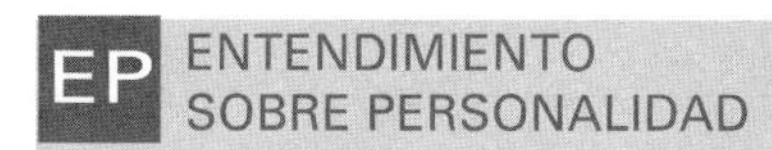

ENTENDIMIENTO SOBRE PERSONALIDAD

Los objetivos claros y escritos proveen diferentes beneficios a los diferentes tipos de personalidad.

D Los objetivos escritos ayudan a los del tipo **D** alto centrarse en su público y llenar los detalles que harán más fuere su presentación.

I Los del tipo **I** alto pueden usar los objetivos escritos para mantener centrada su presentación sobre el tema.

S Los del tipo **S** alto encontrarán que los objetivos escritos los hacen sentir más cómodos con su presentación, porque tienen un plan previsible al que pueden seguir.

C Los del tipo **C** alto se beneficiarán de las objetivos escritos porque les encanta la organización. Los objetivos los ayudarán a mantenerse centrados en la totalidad y no perderse en los detalles.

N NOTAS PARA SU NEGOCIO

El desarrollo de objetivos claros hace que su presentación sea mucho más convincente. Una presentación clara empieza con objetivos claros. Asegúrese de desarrollar sus objetivos con el público indicado en mente. ¡Tendrán a gusto escuchar lo que usted tiene que decirles!

10. La presentación dinámica en equipo

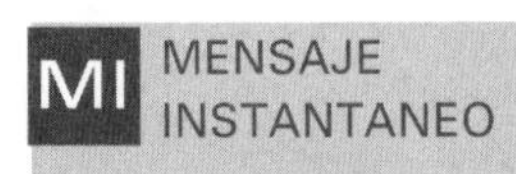

Mantenga unido a su equipo. Busque la sinergia, no la separación.

Las presentaciones en equipo pueden ser de gran impacto, si las planifica y presenta de la forma apropiada.

Antes de la presentación

- Cada miembro del equipo debe tener una idea clara de la meta.
- Repasar de los objetivos escritos con todos los miembros del equipo.
- Elaborar una bosquejo/agenda para alcanzar el objetivo y enfocar los objetivos. Cuando sea posible, debe hacerse este paso como equipo.
- Ensayar en equipo.
- Planificar un vestuario de estilo similar. En general, no se debe mezclar los jeans con los trajes.
- Planificar los puntos y métodos de transición entre los miembros del equipo.
- Preparar una bosquejo escrito de la conexión entre los integrantes de equipo y las secciones que presentarán, para dejarlo en claro para todos cuando hacen la presentación.
- Pensar de antemano cómo presentar a cada miembro del equipo. Use información que es de interés para su público. Sus comentarios deben explicar la pericia que contribuyen a la presentación en equipo para así fomentar su credibilidad.
- Recibir a los asistentes en equipo.

Durante la presentación

- Ponga atención a las presentaciones de los demás. Mantenga su mirada en el presentador. Quédese en silencio a menos que se le pida de contribuir.
- Tenga en cuenta los límites de tiempo para cada presentador. Prepare señales para adaptar su tiempo a su público.

CITA *"En cada deporte hay muchos equipos que tienen grandes jugadores y nunca ganan títulos. La mayor parte del tiempo, esos jugadores no están dispuestos a sacrificarse por el bien común del equipo. Lo curioso está en que, al final de cuentas, su desgana hacia el sacrificio sólo hace más difícil lograr las metas individuales. Una cosa que creo plenamente es que si uno piensa y logra como equipo, los elogios individuales llegarán por sí solos. El talento gana los juegos, pero el trabajo en equipo y la inteligencia ganan los campeonatos."*

– Michael Jordan
Estrella de básquetbol NBA

EP ENTENDIMIENTO SOBRE PERSONALIDAD

Las presentaciones en equipo realmente demuestran la frase *¡Juntos en Equipo Todos Logramos Más!* Cuando se recurre a la capacidad de cada estilo de personalidad en su equipo, la sinergia es algo emocionante. Juntos logran algo que ninguno podrían hacer tan bien a solas. Use este gráfico para maximizar la eficacia de su equipo.

D

Provee:	AVENTURA
Trae:	DETERMINACIÓN
Usa:	CREATIVIDAD
Enfatiza:	INOVACIÓN

I

Provee:	IMAGINACIÓN
Trae:	INSPIRACIÓN
Usa:	EXPRESIÓN
Enfatiza:	INTERACCIÓN

¡Juntos, en EQUIPO, Todos Logramos Más!

C

Provee:	ANALÍSIS
Trae:	LÓGICA
Usa:	OBJECTIVIDAD
Enfatiza:	COHERENCIA

S

Provee:	ESTABILIDAD
Trae:	HARMONÍA
Usa:	COMPATABILIDAD
Enfatiza:	SEGURIDAD

N NOTAS PARA SU NEGOCIO

En muchos entornos comerciales, es muy común que las presentaciones se hagan en equipo.

Su consejero, instructor o líder de equipo lo puede ayudar a entender la función que usted cumple en cualquier presentación en equipo que hace. Para facilitar esta conversación, usted puede hacer preguntas sobre las transiciones y el papel que jugará usted.

Si usted es el presentador principal, acuérdese de permitir a cada miembro del equipo contribuir el beneficio máximo de sus fortalezas.

11. Escoger al líder del equipo

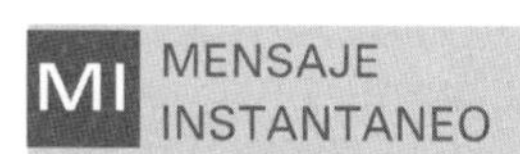

Los equipos de presentación deben tener un líder. ¡Cualquier cosa en la naturaleza que tiene más de una cabeza es anormal!

Si su presentación implica un equipo de dos personas o más, es importante seleccionar un presentador principal. El presentador principal debe ser una persona que se relacione bien con el público indicado y pueda mantener al equipo enfocado en la creación y realización de una presentación de calidad. Seleccione un líder de equipo para conservar la organización y la acción.

El papel de un líder de equipo es:

1. Claramente asignar tareas a cada miembro del equipo, para evitar la confusión. La confusión produce inactividad.
2. Corresponder las habilidades individuales a las áreas de pericia.
3. Planear quien iniciará la presentación, quien se ocupará de cada sección, y terminará y dará el resumen.
4. Responsabilizar a los miembros del equipo de comunicar su progreso regularmente. Es probable que para las personas que trabajen en sitios distintos, la manera más fácil de lograr esto sería por correo electrónico o telefax, pero cualquiera que sea el método seleccionado, todos deben concordar.
5. Hacer arreglos para una o dos sesiones de práctica para verificar el contenido, flujo, transiciones y coherencia de terminología.
6. Insistir en que el ensayo sea un verdadero repaso de la presentación, y no simplemente una oportunidad de decir "Lo que yo pienso tratar es..."
7. Hablar del estilo de vestuario y asegurar que todos estén de acuerdo. En otras palabras, no mezclen los jeans y los trajes.
8. En la presentación, clausurar la sesión de preguntas y respuestas.

"C CITA

"¡Si somos exactamente iguales, uno de nosotros está demás!"

– Ruth Bell Graham

EP ENTENDIMIENTO SOBRE PERSONALIDAD

Ya que las personas del tipo **D** alto son naturalmente buenos para presionar para lograr resultados, podría pensar en pedir a una persona con algunos rasgos del **D** altos para que sea el presentador principal. No es necesario que el líder sea predominantemente un **D** alto, quizás tiene al estilo **D** como uno de sus rasgos secundarios fuertes. Cualquiera que sea su mezcla de estilos, el líder del equipo debe reconocer y confiar en las fortalezas de personalidad que cada integrante contribuirá al grupo. Use las observaciones hechas a continuación (tomados de la gráfica del consejo previo), de guía para ayudarle en esta área.

D Las personas del tipo **D** proveen aventura. Son buenos para establecer la meta y proveer impulso y energía a la presentación.

I Los del tipo **I** proveen imaginación, diversión, emoción y entusiasmo.

S Los del tipo **S** proveen la estabilidad. Ayudan al público a sentirse cómodo y establecen confianza.

C Los del tipo **C** proveen análisis. Son buenos para encontrar y presentar información confirmada.

N NOTAS PARA SU NEGOCIO

Existen muchas oportunidades para presentaciones en grupo. Anime a su equipo a afilar sus habilidades de presentación. Cuando usted tiene la oportunidad de ser líder de un equipo, repase la sección Papel de un Líder de Equipo de la página anterior.

3

Practicar

Ha de haber oído el dicho, "¡La práctica hace al maestro!" Pues, ¡es hora de hacerlo! Aproveche cada oportunidad que le viene para hacer presentaciones, y aprende de cada oportunidad. ¡Le sorprenderá ver cuánto mejora! Recuerde, *"Si en la vida vale hacer un trabajo, vale hacerlo mal... ¡hasta que aprenda a hacerlo bien!"*

Todos los grandes presentadores practican sus presentaciones. Tony practica. Dr. Rohm practica. Zig Ziglar practica. Cuando practica su presentación, le ayudará a mejorar los puntos débiles, buscar y corregir las áreas que faltan claridad, y fomentar su confianza.

1. La práctica paga grandes dividendos
2. Visualice el éxito
3. No es tanto lo que dice...
4. Escuche a un entrenador

" Siempre hay tres discursos por cada discurso que dio en realidad. El que practicó, el que dio y el que hubiera querido dar."
– Dale Carnegie

1. La práctica paga grandes dividendos

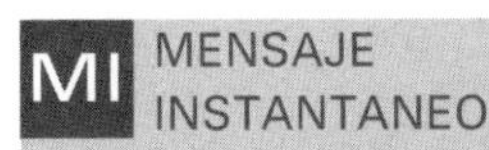

Los buenos conferencistas no nacen así. Pueden nacer con el deseo de hablar en público, pero todos tienen que practicar, practicar, practicar para llegar a dar su mejor.

Mucha gente evita ensayar; no sea uno de ellos. Nosotros decimos, "Hágalo en práctica - no sólo en palabras." Si puede, es mucho más preferible ensayar en el mismo salón donde realizará su presentación. Si tiene la opción de estar "en casa", y tiene la oportunidad de ensayar ahí, aproveche la oportunidad. Si no es posible, debe recrear hasta donde pueda la conformación del salón donde hará la presentación para experimentar moverse en el entorno que enfrentará durante su presentación.

Durante la práctica, use una grabadora digital o de casete para grabar su presentación. Escuche la grabación para verificar su entusiasmo y la modulación de su voz. Escuche una vez para captar una impresión general de la presentación. Luego, vuelva a escuchar para realmente ver lo que ha dicho y la manera en qué lo dijo. Hasta puede escuchar la grabación mientras maneja, como una manera de repasar la presentación mentalmente.

La grabación en video vale aún más que una grabación en audio. Con una grabación en video, puede evaluar la presentación con un equipo para ganar un sentido aún más completo de la perspectiva del público. Observe con atención su tonalidad y su lenguaje corporal. Es mejor si puede ver y debatir la grabación con otra persona. La mayoría de las personas se critican demasiado como para evaluarse objetivamente. La mayoría solemos creer más la evaluación que hace otra persona de nuestras fortalezas (y debilidades), que la nuestra propia. De cualquier manera, entre más entendimiento, mejor.

" Todos los candidatos tienen prácticamente la misma plataforma, entonces en realidad, lo que dicen no es un factor. Lo que importa es qué tan buenos son para decirlo."

– Robert J. Ringer

EP ENTENDIMIENTO SOBRE PERSONALIDAD

Puede ser una tentación para los del tipo **D** e **I** no ensayar porque no quieren tomarse el tiempo de hacer una presentación más de una vez. ¡Podría llegar a ser aburrido! Para los del tipo **S** y **C**, las ganas de faltar al ensayar pueden surgir de su renuencia de realizar la presentación o de ser evaluado por otra persona.

D Si los del tipo **D** quieren mejorar su presentación, un ensayo les mostrará lo que realmente da resultados.

I Si los del tipo **I** quieren afinar una presentación, un ensayo les ayudará a mejorar su actuación para que se vean mejor.

S La práctica ayudará a los del tipo **S** a estar más calmados en la presentación verdadera. Deben resistir el impulso de ser más críticos de si mismos de lo sería cualquier otra persona.

C Los del tipo **C** necesitan ensayar para estar cómodos con el material y confiados de su capacidad para presentar la información con claridad. El ensayo les ayudar a considerar los posibles problemas y preguntas que podrían surgir.

N NOTAS PARA SU NEGOCIO

Su presentación mejorará y su influencia aumentará a medida que ¡practica, practica y practica! Dentro de poco, el hacer una presentación será tan fácil como conversar con un amigo. Si se le dificultan ciertos puntos, pida a un amigo, mentor o entrenador escuchar su presentación y darle consejos para mejorar.

2. Visualize el éxito

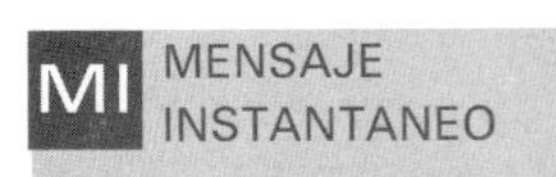
MENSAJE INSTANTANEO

Antes de salir a su presentación, haga un repaso mental.

Antes de empezar, use su Bosquejo en 3-D para repasar mentalmente su presentación. Visualice los varios escenarios posibles: un cambio de escenario, más o menos personas, la presencia de diferentes personas en el público con poder decisorio, etc. Cuando sea posible, Tony pone unas sillas extras al fondo del salón, por si acaso. Esta preparación le permite visualizar la entrada de gente adicional a la presentación, y lo deja realmente preparado.

Piensa en todos los posibles puntos débiles de su presentación. Considere cómo podrían surgir situaciones difíciles. Luego, visualice la forma en que podría enfrentar estas situaciones con éxito.

Prevea el flujo. ¿Puede prepararse el salón de antemano? ¿Dónde estará usted situado? ¿Qué sucederá durante los descansos? ¿Habrá descansos? ¿Qué sucederá después de los descansos? Ensaye, literal y mentalmente. Si está haciendo la presentación con otros miembros de un equipo, debe incluirlos también a ellos en el repaso de su presentación.

"C CITA

" Empiece tomando en cuenta el final."
– Stephen R. Covey,
Los Siete Habitos de la Gente Super Efectiva

EP ENTENDIMIENTO SOBRE PERSONALIDAD

Para los del tipo **S** y **C**, los estilos más **RESERVADOS**, este repaso les ayuda a sentirse más cómodos con la parte imprevisible de la presentación. Para los más **EXTROVERTIDOS** tipos **D** e **I**, el repaso les ayuda a ver los detalles que pueden haber pasado por alto. Cualquiera que sea su tipo, una preparación meticulosa, seguida por un repaso mental, maximizará sus posibilidades de lograr éxito en su presentación.

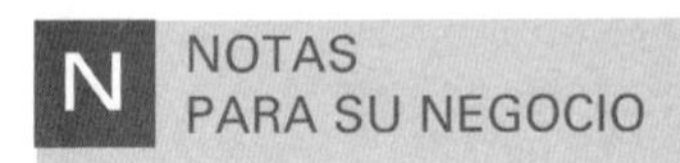
N NOTAS PARA SU NEGOCIO

Imagine lo que quiere que pase y luego llene los detalles para alcanzar sus objetivos.

3. No es tanto lo que se dice...

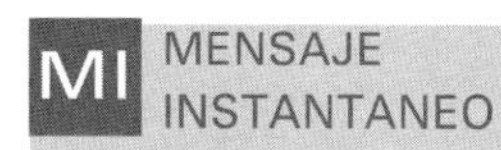

Más del noventa por ciento de la forma en que nos comunicamos no es verbal.

Los estudios demuestran que un noventa y tres por ciento de la forma en que nos comunicamos con otra persona no es verbal. El treinta y ocho por ciento corresponde a la tonalidad y el cincuenta y cinco por ciento al lenguaje corporal.

Tony encuentra que muchas personas ponen demasiado énfasis sobre sus palabras y no lo suficiente sobre sus mensajes no verbales. Cuando entrena a personas en todo el mundo, ve que a menudo la gente gasta entre ochenta y noventa por ciento de su tiempo de la preparación de lo que representa sólo el siete por ciento del mensaje – elaborando ayudas visuales y decidiendo qué palabras usarán. Pasan solamente un diez o veinte por ciento de su tiempo, si acaso, contemplando el otro noventa por ciento de su mensaje, el lenguaje corporal y la tonalidad. Si quiere ser un excelente presentador, concéntrese en los mensajes no verbales así como en las palabras.

Considere sus movimientos

El movimiento sirve una variedad de propósitos:

- Como apoyo visual a su mensaje.
- Para fijar la atención de su público
- Para soltar la energía nerviosa reprimida

Sus movimientos deben cumplir estos objetivos para así concordar con su mensaje.

Use un tono de conversación

Varíe su presentación. En ciertos momentos use una voz más alta, y en otros deje que sea más lenta o más suave. Use una variedad de tonos y actividades para evitar que su público se aburra. Introduzca unas pausas bien planeadas. El hablar sin parar puede ser tan fatal como hablar en voz monótona.

El público necesita tanto puntos altos como bajos para seguir centrado en usted y su mensaje.

Entienda lo que le dice su público.

También debe prestar atención a la comunicación no verbal que expresa su público. El que no le estén lanzando tomates podridos no quiere decir que estén aceptando su mensaje. Aprenda a interpretar a su público y adaptar sus palabras, lenguaje corporal y tono para satisfacer las necesidades de ellos, no las suyas.

CITA *" La sordera me ha dado plena consciencia de la capacidad que tiene el lenguaje de duplicidad y de las muchas expresiones que el cuerpo no puede ocultar"*

- Terry Galloway
Actor Americano, n. 1950

EP ENTENDIMIENTO SOBRE PERSONALIDAD

Su lenguaje corporal es otra expresión de su personalidad. En esto también, puede tener fortalezas al igual que desafíos. Recuerde que el llevar una fortaleza al extremo puede convertirla en debilidad.

D Aparenta estar confiado, lleno de energía y tener el control. Es posible que necesite aprender a incluir un tono más suave y personal para variar su presentación—en especial si quiere atraer a los del tipo **S** alto.

I Usted proyecta calidez, carisma y brillantez mientras hace su presentación. Es posible que necesite aprender a usar un tono más objetivos para variar su presentación y atraer a los del tipo **C** alto.

S Usted hace a su público sentirse aceptado, cómodo, y abierto a lo que usted dice. Es posible que necesite proyectar más confianza y acelerar la presentación en las partes que atraen a los del tipo **D** alto.

A menudo usted es el experto técnico. Puede ganar la atención de su público con su preparación esmerada y su presentación lógica y detallada. Es posible que necesite incluir algunas anécdotas personales o ayudas visuales divertidos para dar a su público una sensación de calidez y humor durante su presentación. Aprenda de variar los tonos de su voz. Suele serles más difícil a los del tipo **C** alto evitar dar una presentación en voz monótona. La variedad de tono le ayudará a relacionarse con su público y ser más convincente - especialmente para los del tipo **I** alto.

N NOTAS PARA SU NEGOCIO

Las presentaciones en equipo pueden ofrecer una manera muy efectiva de dar variedad a su presentación. Si puede trabajar con alguien cuyo estilo de personalidad es el opuesto al suyo, mejora la posibilidad de conectar con más gente. En equipo, se pueden hacer presentaciones más eficaces y usar las fortalezas de cada uno para crear una presentación bien equilibrado y convincente.

4. Escuche a un entrenador

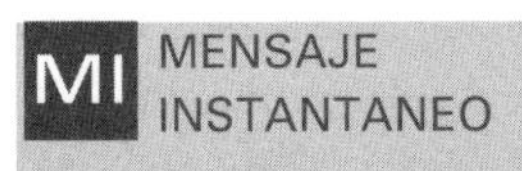

¡Invierta en si mismo! Busque quién lo pueda ayudar a mejorar.

El hallar un entrenador de presentación o un mentor en lugar de simplemente estudiar para mejorar por su propia cuenta, es semejante al contratar a un entrenador personal en vez de asistir a una clase de aeróbicos de grupo. Recibe instrucción personalizada, hecha a su medida, que lo empujara más allá de sus habilidades actuales.

Tanto las personas como las empresas contratan a entrenadores para percibir un beneficio personal. Las compañías se benefician al mejorar las habilidades de presentación con las que cuentan en sus organizaciones.

Muchas entidades han contratado a Tony para entrenar una o más personas dentro de la organización. Las personas que Tony ha entrenado luego se convierten en modelos dentro de sus empresas. Como resultado, otras personas aprenden las habilidades que se enseñaron/transfirieron a la persona capacitada y llegan a ser tan buenos como los primeros. Dentro de poco, la persona que recibe entrenamiento se convierte en el estándar por el cual se reconocen a todos sus iguales.

¿Por qué contrataría usted a un entrenador o haría caso a un mentor?

- Si quiere conseguir un contrato de gran valor o hacer una presentación a un cliente nuevo.
- Si tiene la oportunidad de ganar (o perder) mucho dinero para usted mismo o su organización.
- Si quiere hacer una presentación como parte de un equipo y necesita estar aseguro de que todo estará perfecto.
- Si uno de los integrantes del equipo es un experto sobre el producto o servicio, pero no es un presentador efectivo.
- Si quiere mejorar la efectividad de su presentación.

Los entrenadores profesionales y mentores experimentados pueden señalar los sutilezas o quizás peculiaridades que saltan a la vista en su presentación y limitan su eficacia. Es posible que la gente muy allegada a usted, o que lo han conocido por mucho tiempo, haya aprendido a ignorar esas peculiaridades. O, pueden vacilar en mencionarlos por temor a ofenderlo.

Una técnica de los entrenadores profesionales que puede copiar es la de ver un video de su presentación - ¡sin sonido! Sin la distracción del sonido, puede ver y enfocarse en el lenguaje corporal y los gestos. ¡Lo que ve puede darle un susto!

" El mayor beneficio del entrenamiento es tener quien le ayude a ver sus fortalezas y debilidades y a usarlos para alcanzar sus metas."

– Minneapolis Star-Tribune

EP ENTENDIMIENTO SOBRE PERSONALIDAD

Su entrenador debe ser alguien con quien tiene una buena relación. Busque una persona que es bueno para presentar y que puede ayudarle a sintonizar según su estilo de personalidad. Si es un tipo **C** alto, por ejemplo, puede aprender al observar a un presentador de tipo **I** alto, pero puede relacionarse mejor con un otro **C** alto, quien podría mostrarle la manera de hacer una mejor presentación dentro de los parámetros de su estilo.

N NOTAS PARA SU NEGOCIO

El entrenamiento personal es muy popular hoy en día. Busque a una persona en quien tiene confianza y con quien sintoniza bien. Su entrenador lo puede ayudar a hacer mejoras con más rapidez que si lo estuviera haciendo usted a solas. Debe ser un presentador informado que no vacile en decirle la verdad. Acuérdese de reconocer y respetar su personalidad propia y la de su entrenador, para poder usar tanto las fortalezas suyas como las de él. Si usted es un líder comercial, quizás quiera considerar contratar a un entrenador para trabajar con los miembros claves de su equipo.

Personalizar

Ha Preparado, Planificado, y Practicado. Ahora puede centrar su atención en las personas que recibirán su presentación - su público. Ellos quieren que usted los convenza del valor de lo que dice, pero recibirán su mensaje a su propio modo. Por eso, lo que debe usted entender no sólo es lo que usted les ofrece, sino cómo ellos mejor lo entenderán, aceptarán, y responderán a su presentación. Utilice estos consejos para ayudarlo a encontrar maneras en que puede personalizar su presentación según su público.

1. Aprenda acerca de los integrantes de su público
2. Conozca mejor a su público
3. Forme una conexión personal
4. Llegue a un acuerdo sobre el programa de su presentación

" La gente que se concentra en dar buen servicio siempre recibirá más satisfacción personal y también más negocio. ¿Cómo podemos dar mejor servicio? Una manera es tratar de vernos como los demás nos ven."

– Patricia Fripp, CSP, CPAE

1. Aprenda sobre los integrantes de su público

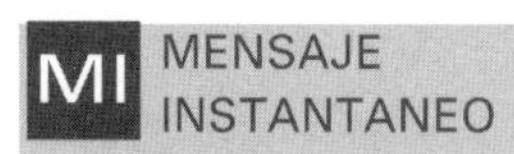

*No son las compañías, ni las organizaciones ni los grupos que compran - son las personas individuales**

Si quiere hacer una presentación convincente a un grupo de personas, debe conectar con cada integrante del grupo, especialmente los que pueden tomar acción. Una vez que usted convence a los "instigadores", su mensaje se convertirá en acción. Si hace su presentación a una sola persona, o a un grupo pequeño (dos o tres personas), recuerde que sus decisiones probablemente se influirán por gente que no está presente en ese momento. Su enfoque principal debe ser sobre las personalidades de quienes están en el salón con usted, pero aún así debe tomar en cuenta la información que será comunicada a gente de influencia que no está presente.

Usted puede fácilmente hacer preguntas que muestren su interés personal por las personas que integran su público. Su interés por ellos muestra que está centrado en proveer un servicio de alta calidad que los beneficiará a ellos y a su organización. Cuando la gente le ayuda a entender sus inquietudes y necesidades, uno puede convertirse en un recurso de mucho impacto, que fomenta la realización de sus metas.

CITA

" Antes de buscar satisfacer al cliente, entienda y satisfaga a la persona."

– Harry Beckwith
Vendiendo lo invisible

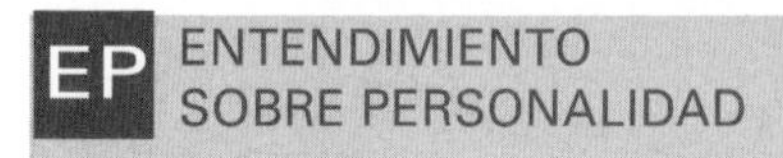

El entendimiento de su propio estilo de personalidad le ayuda a conocer mejor a su público. Cuando uno se comprende a si mismo, puede buscar maximizar sus fortalezas de presentación y minimizar el impacto de sus puntos débiles.

Para los tipos **EXTROVERTIDOS**, los del tipo **D** e **I**, les es fácil entablar una conversación con un recién conocido. Su punto débil puede ser el promocionar su propia perspectiva antes de aprender sobre la otra persona. Si usted es **EXTROVERTIDO**, centre su atención en informarse sobre su público antes de dar la presentación.

Para los tipos **RESERVADOS**, los del tipo **S** y **C**, les es fácil escuchar a los demás. Ya que son **RESERVADOS**, es posible que no entablen conversación con los recién conocidos, ni hagan preguntas específicas que los ayude a conectar mejor con su público. Si usted es **RESERVADO**, aprende a guiar la discusión tal que pueda sacar la información que necesita para realizar una presentación dinámica.

La tabla que sigue le indica otros aspectos específicos que puede aprender sobre su público , y por qué los debe saber. Tienen importancia, sean cuáles sean los tipos de personalidad que integran el público.

Necesita Saber	Para que pueda
Gama de edades	mencionar experiencias de la vida que tienen en común
Nivel de Educación	identificar el nivel apropiado de lenguaje. Entre más bajo el nivel de educación, más concreto debe ser el lenguaje que usa.
Ocupación	usar historias y anécdotas relevantes a ellos.
Diversidad Cultural	saber si debe usar un tono y/o vestuario formal o informal

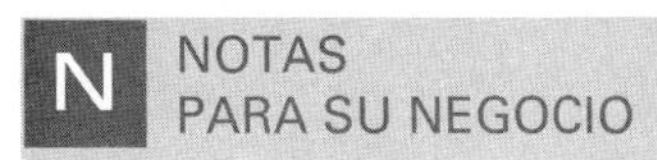

Los negocios se fundamentan en las relaciones. Utilice la tabla de arriba para buscar algo que tiene en común con una persona o un grupo. Estos puntos de coincidencia pueden ayudar a crear un ambiente en que usted pueda hacer una presentación convincente.

2. Conozca a su audiencia

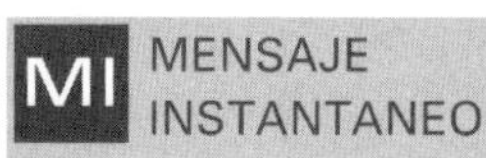

Concéntrese en conocer a su público. Haga sus preguntas antes de la presentación para que pueda contestar las de ellos durante la presentación.

Toda presentación es una forma de venta, aún cuando no cumple el papel de "vendedor." En cada presentación, su meta es de convencer a su público a "comprar" (o acoger) algo. Su público debe primer aceptarlo como persona antes de poder aceptar las ideas que presenta. Empezando con el primer contacto con su público: céntrese en sus necesidades.

Los entrenadores de ventas saben que se pierde muchas ventas porque el vendedor está tan ansioso de impresionar a sus posibles clientes con el producto que hace caso omiso a sus preguntas y comentarios. Venda teléfonos, servicios o simplemente sus ideas, el mismo principio aplica. Muchas presentaciones (de ventas) se pierden porque el presentador (vendedor) está tan ansioso de impresionar al público (posible cliente) con su información que ignora sus preguntas, comentarios e inquietudes. Los consejos que siguen le ayudarán a "conocer más a su público"

Note el ambiente

A menudo el ambiente de uno expresa algo sobre él. Asegúrese de tomar nota de los entornos, el decorado, como está arreglado el salón, banderas o cuadros en las paredes, etc... Busque información en los entornos que lo puede ayudar a personalizar su presentación y conectar con su público.

Aprenda a usar los nombres de diferentes personas en su público

Si las presentaciones suelen ser entre empresas, llegue a conocer a la recepcionista y los ayudantes de la persona que toma las decisiones. Domine los cosas sencillas como la pronunciación y ortografía correcta de los apellidos poco comunes. Si normalmente hace sus presentaciones ante grupos, llegue temprano y llegue a conocer algunas de las personas en su público antes de empezar la presentación.

Investigue las filosofías, metas y aspiraciones de los miembros de su público

Use la Internet. Pídales enviarle sus datos de mercadotecnia. Lleve folletos del área de recepción. Guarde sus tarjetas de presentación. Tome un paso más allá de simplemente obtener la información, estúdiela. ¿Qué le dice sobre su público? ¿Qué compromisos hacen a la calidad y el profesionalismo? Para convencerlos, tiene que conocerlos.

Conozca su organigrama y organización

Cuando se trabaja con organizaciones, un entendimiento de su organigrama es de tremendo valor para entender su mundo. Si puede, obtenga una copia. Si no lo puede, pida a alguien dibujarle la estructura a grandes rasgos. Este consejo aplica tanto para el trabajo con empresas como el trabajo con parejas. Aprenda a identificar quién toma las decisiones y sobre cuáles asuntos.

Haga su tarea de casa, para poder entender a su público. Las respuestas a estas seis preguntas esenciales establecen la base de una presentación exitosa.

Seis preguntas vitales

1. ¿Habrá en el público personas que tienen influencia pero no el poder decisorio?
2. ¿Pueden los integrantes del público tomar acción/decisiones inmediatamente?
3. De poder tomar decisiones inmediatas, ¿qué compromisos pueden hacer?
4. ¿Cuáles son sus "puntos de controversia"?
5. ¿Qué esperan de usted? ¿Quieren o necesitan cierto tipo de presentación o material para sentirse a gusto con usted?
6. A las personas claves que tienen poder decisorio, ¿de qué forma prefieren que se les presente la información - por telefax? correo electrónico? teléfono? En persona?

"C CITA *" Nunca sobreestime la base de conocimiento de su público, pero nunca subestime su inteligencia."*

– Jan D'Arcy

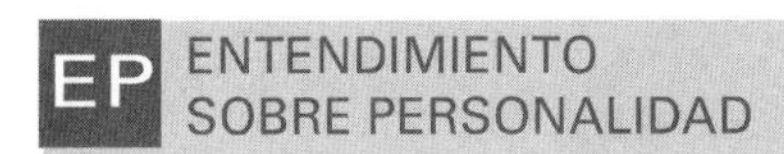

ENTENDIMIENTO SOBRE PERSONALIDAD

En esta sección hemos usado un enfoque del tipo **D** alto, ORIENTADO hacia las TAREAS. Nos centramos en la meta de una presentación convincente, y queremos ayudarle a usted centrarse en alcanzar esa meta también. Si usted es más ORIENTADO hacia las PERSONAS, puede sentir que esta sección sea demasiado directa. Puede sentir que saca mucha información de forma natural, mientras habla con su público. La observación que hacemos es que se debe obtener las respuestas a estas preguntas de forma deliberada para asegurar que se prepare apropiadamente para la presentación. No deje a la suerte la recopilación de esta información esencial, hágalo con intención.

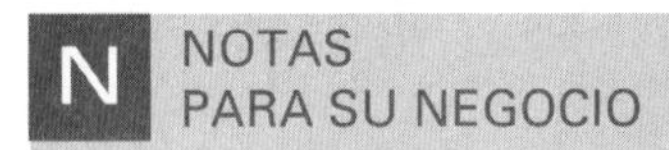

NOTAS PARA SU NEGOCIO

Una visita al sito Web puede darle acceso rápido a la visión global de una organización. ¡No se olvide usarlo!

Si hace presentaciones a personas individuales, puede visitar un sitio Web sobre sus pasatiempos o intereses profesionales. Si la persona tiene un socio (o socios), es posible que su(s) socio(s) no sea(n) quien tome la decisión final, pero no se olvide de también respetar su influencia. Haga su investigación sobre ellos también.

Si hace presentaciones a grupos más grandes, visite el sitio Web de la empresa u organización. Aprenda a identificar cuáles grupos y personas en la organización tienen influencia o poder decisorio.

3. Haga una conexión personal

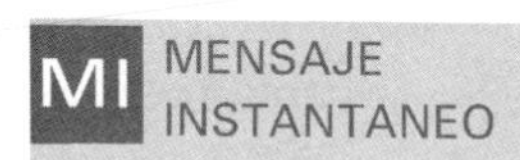

La confianza e influencia nacen de una conexión personal con su público.

A la gente le gusta tratar con gente parecida. Los consejos que siguen le pueden ayudar a conectar con su público.

Conecte con su público antes de su presentación

Si hace una presentación a una persona o a quinientas, haga la esfuerzo de conectar con cuántas más personas pueda. Determine lo que tienen ustedes en común. Pase un poco de tiempo haciendo plática. Comparta los intereses y experiencias que tienen en común. Converse un poco. Tanto usted como su público quiere sentir que son amigos. Si forma esta conexión al principio, puede relajarse un poco. Esta asociación le ayudará a controlar cualquier ansiedad que pueda sentir. Además, es más probable que su público decida a su favor cuando hay una conexión personal.

Obsequie algo a su público

Bríndeles unos bocadillos saludables. Regáleles un libro. Déles algo de recuerdo. La gente estará más dispuesta a concordar con usted cuando se siente agradecida por un regalo. ¡Jamás de subestimar el poder de lo gratis!

Personalice su presentación

Mientras conversa con su público antes de la presentación, siga recopilando información. Use cualquier información nueva para adaptar su presentación, de ser necesario, hasta justo antes de empezar. Esta adaptación le permite conectar mejor con sus necesidades y ganar campeones a su favor entre el público.

Pida a un cliente o miembro del público dar un comentario o testimonial breve

Cuando se toma el tiempo de hablar con la gente al principio, podrá hacer referencia a esas conversaciones en su presentación. Por ejemplo:

"Roberto y yo estábamos conversando hace un rato sobre __________. Roberto, ¿podrías decirnos algo sobre eso?" El uso de esta técnica crea transferencia de iguales, o pares - una transferencia de confianza y credibilidad de un igual entre el público a usted. Si Roberto es un igual respetado y confiado, su acuerdo con usted tendrá un impacto positivo sobre el resto de su público.

Nadie puede vender mejor su producto o servicio que un cliente satisfecho. Si hay alguno presente, déjelo hablar. Si eso no es posible, muestre un video de un cliente satisfecho, o muestra su foto mientras lea una carta testimonial.

Use ejemplos personales para ayudar al público identificarse con usted y su idea o producto

Los datos explican, pero las historias venden. Los hechos, cifras y lógica crean credibilidad pero no venden. Cuando relata historias personales, la presentación se hace más personal. Al principio de su presentación, relate unas historias para conectar con el público. Cuénteles de similitudes que descubrió entre usted y ellos durante los tiempos de preparación y debate.

Comparta al principio cualquier dato que pueda ser negativo

Determine cualquier característica de su producto, servicio o mensaje que su público pudiera recibir de forma negativa, y menciónelo al principio. Entonces, supere la objeción con su presentación. Esta muestra de honradez fomenta la credibilidad.

Use el lenguaje especializado o coloquial de su audiencia

Es una manera excelente de entrar en confianza. A la gente le agrada otras personas que entienden y hablan su lenguaje.

Sea accesible

Debe ser bueno, pero no perfecto. Cuando uno es demasiado "pulido", se rompe la conexión entre usted y su público. Primero necesitan sintonizar con usted, antes de poderlo confiar.

Use los nombres de la gente

Los dos consejos a continuación le ayudarán a recordar y usar los nombres de integrantes de su público:

1. Haga un dibujo del arreglo del salón, dibujando cuadrados o círculos en papel para representar las mesas en el salón. A medida que se presentan los que atienden, escriba sus nombres en los puestos correspondientes. Cuando pase adelante para empezar su presentación, lleve el dibujo consigo para poder consultar los nombres mientras habla. Esta técnica funciona bien para los grupos de cincuenta o menos.

2. Ponga tarjetas (dobladas en V invertida) delante de cada miembro del público. Escriba (o pídales escribir) sus nombres en ambos lados de la tarjeta. Si su nombre está en ambos lados de la tarjeta, usted podrá ver el nombre desde cualquier parte del salón. Los demás integrantes también podrán ver los nombres de sus compañeros.

Ríase de si mismo cuando comete un error

Es un presentador excepcional el que no comete ningún tipo de error durante una presentación.

Una vez Tony estaba dando un taller a los empleados de una gran cadena que vende libros con descuento. La presentación iba bien, y él estaba exactamente donde quería estar. Y entonces, sin querer, hizo un comentario positivo sobre el competidor principal en Internet de la cadena. ¡Ay! En vez de minimizar o pasar por alto su lapsus, se rió de su error junto con ellos. Puesto que abordó su error con honestidad, su público se encariñó más de él, en lugar de distanciarse. Ellos sentían que podían identificarse con él. Y acogieron su mensaje.

" Ríase de si mismo, pero no dirija nunca su duda hacia si mismo. Sea audaz. Cuando emprende su viaje a lugares desconocidos, no deje a ninguna parte de sí mismo en la seguridad de la orilla. Tenga el valor de entrar en territorio no explorado."

– Alan Alda

EP ENTENDIMIENTO SOBRE PERSONALIDAD

Reconozca las fortalezas de personalidad que tiene para establecer una relación de confianza.

D A los del tipo **D** alto les encanta formar conexiones. Hacen uso natural de los testimoniales. Se sienten cómodos cuando hablan con recién conocidos.

I Los del tipo **I** alto emocionan al público y naturalmente ganan campeones entre sus oyentes por la manera en que hablan de los demás.

S Los del tipo **S** alto ofrecen su amistad fácilmente y dan a la gente una sensación de tranquila seguridad.

C Los del tipo **C** alto se centran con intensidad. Esta intensidad puede atraer al público - especialmente si están preparados para compartir de una manera amable lo que saben.

N NOTAS PARA SU NEGOCIO

Es esencial para una presentación exitosa entrar en confianza con su público. Use estos consejos para establecer esa confianza con su público. En particular, recuerde que es posible que su público no esté familiarizado con el lenguaje de su negocio. Asegúrese de hablar el lenguaje de ellos.

4. Obtenga acuerdo sobre su agenda

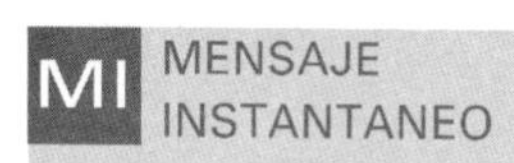

Cuando empieza, tome un momento para hacer una encuesta verbal al público, para confirmar las expectativas que tienen ellos del programa.

Llegue a un acuerdo mutuo entre usted y su público sobre lo que se tratará, y no se tratará, durante su presentación. A un público le gusta saber lo que va a tratar y cómo satisface sus necesidades.

Establezca las pautas desde el principio, y obtenga el acuerdo de cuantas más personas sea posible. Explíqueles que usted necesita ____________________ para poder satisfacer sus objetivos, terminar a tiempo, y evitar distraerse (llene el espacio con lo que corresponde a su situación.) Puede tomar los pasos específicos que siguen, para asegurar la aceptación de su agenda.

Explique su programa para proveer una idea general y llegar pronto a un acuerdo

Puede presentar su programa de varias maneras. Dependiendo del número de integrantes en su público, puede repartir una hoja, ponerlo en un tablero o en la pared, o mostrarlo en una diapositiva generada y proyectada por computadora. Cualquiera que sea la forma que escoge, asegúrese que cada participante tenga una vista despejada del programa. Puede maximizar la probabilidad de acogida por su público, y que acepten su mensaje, si provee pistas visuales de lo que sigue.

Si está usando diapositivas proyectadas, puede poner el programa entre cada segmento de la presentación como diapositiva de transición. Cada vez que lo muestre, puede resaltar el próximo segmento para que su público pueda fácilmente ver en qué parte de su presentación están.

Hable de antemano con su público

Pida a la gente expresar sus expectativas. De ser posible, adapte el programa según sus comentarios. Si hace un cambio, avise al público lo que ha hecho. Esta muestra de flexibilidad demuestra tanto la confianza personal y la buena voluntad de adaptarse a sus necesidades y expectativas.

Cuando está confiado de su mensaje, se sentirá libre de hacer cambios de último momento a su programa, en base a los comentarios de su público. Esta flexibilidad (¿se acuerda de la espontaneidad planificada?) demuestra que usted es dueño de la información y en control de la presentación.

Si no cree ser lo suficientemente experimentado como para hacer cambios sobre la marcha, debe de todos modos confirmar las expectativas de su público. De vez en cuando, consúltelos para ver si están de acuerdo con la dirección que está tomando la reunión. Cuando aceptan su dirección, le están dando permiso para llevar el mando. Cuando le dan permiso a usted de llevar el mando, es probable que sigan ese mando cuando es hora de actuar sobre su propuesta. Recuerde, la finalidad de la persuasión es de encaminar a la gente hacia la toma la acción.

Si el grupo es demasiado grande como para un debate inicial, puede probar una de las técnicas favoritas de Tony. Él da a cada miembro del público una manera de hacerle sus preguntas personales, sin interrumpir el flujo de su presentación. Les pide escribir sus preguntas en una tarjeta índice y entregárselas durante la parte de preguntas y respuestas de la presentación. De esta manera, tiene la oportunidad de conectar con muchas personas en el público.

" Entre en acuerdos justos y cúmplalos"
– Confucio

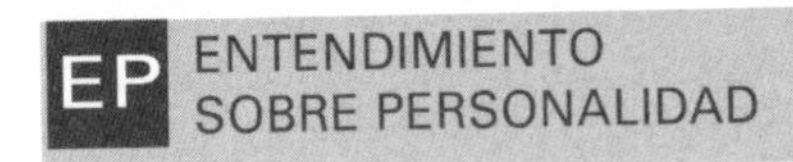

El entendimiento de su estilo de personalidad le ayudará a estar más a gusto y más efectivo en su presentación.

Los estilos más EXTROVERTIDOS, los del tipo **D** e **I** se sentirán más cómodos si usan un enfoque de discusión abierta. Pueden fácilmente adaptar su agenda sobre la marcha. Inclusive lo podrán encontrar estimulante y emocionante.

Por otro lado, los estilos más RESERVADOS, los del tipo **C** y **S** suelen escuchar con mayor facilidad. Entonces, es posible que ellos se sientan más cómodos en aceptar los comentarios del público.

En este tipo de discusión los estilos más ORIENTADOS hacia la TAREA, los del tipo **D** y **C**, deben acordarse de respetar los comentarios de su público. Una vez que tengan la información deseada, deben tratar de contestar las preguntas del público.

Los estilos más ORIENTADOS hacia las PERSONAS, los del tipo **I** y **S**, no deben olvidarse de seguir centrados en los objetivos de su presentación mientras se adaptan a los integrantes del público.

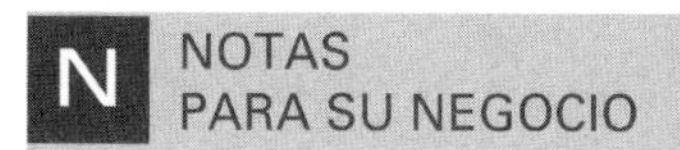

Este consejo habla del esfuerzo de establecer una correspondencia con las necesidades de su público. Usted es mucho más convincente cuando escucha y enfrenta las necesidades, preocupaciones, expectativas y sueños de su público.

5

Presentar

¡Ya es hora! Ponga en acción todo lo que ha hecho hasta este punto.

1. Elimine las cuatro tensiones del público
2. ¡Permíteme presentarle!
3. Adueñese del ambiente
4. Empiece con fortaleza
5. Demuestre que esta listo
6. Soportes entre el público
7. Use palabras persuasivas
8. Use citas de su público
9. Materiales que amplían su impacto
10. Ponga la diversión en la presentación
11. El entusiasmo
12. Pausas intrigantes
13. Movimiento y contacto visual
14. Actúe con integridad

" Puede que nunca sepa qué resultados tendrá su acción, pero si no hace nada, no habrá ningún resultado"

– Mahatma Gandhi

1. Elimine las cuatro tensiones del público

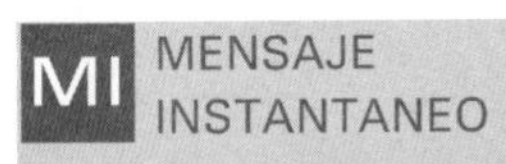

" Reconozca y elimine las cuatro tensiones del público o usted dirá: " Parece que no han entendido... "

Entre más cómodos estén las personas de su público, entre sí y con su ambiente, más receptivos estarán a su mensaje. Como presentador, usted debe tomar la iniciativa para poner cómodo a su público.

Prácticamente cualquier público, por más grande o pequeño que sea, tiene cuatro tensiones comunes, naturales y subconscientes. Conozca estas tensiones y trátalas de inmediato en su presentación. Cuando alivia estas tensiones, usted permite a su público centrarse en su mensaje sin distracción.

Las cuatro tensiones existen entre:

1. El público y el público

A menudo los miembros del público no se conocen muy bien. Para abordar esta tensión:

- Pida al público ponerse de pie y moverse
- Pida al público darse la mano y socializar con los demás

2. El público y el presentador

La audiencia no lo conoce a usted todavía.

Aborde esta tensión al:

- Entre en confianza con el público
- Establezca y mantenga el contacto visual
- Sonría

3. El público y sus materiales

Los miembros de un público tienen una curiosidad natural sobre los materiales que han recibido. Cuando estudian esos materiales, dejan de ponerle atención a usted. Para abordar esta tensión puede:

- Ocupar al público con sus materiales de inmediato.
- Explicar los materiales repartidos, cuadernos etc..., lo antes posible.
- Pedir al público escribir sus nombres en sus materiales inmediatamente.
- Entregarles los materiales solamente cuando los necesiten.

4. El público y su ambiente

Es seguro que un ambiente desconocido creará tensión. Aún cuando todos los integrantes de su público conocen el salón, debe asegurarse de que los asientos, la temperatura y el alumbrado estén cómodos. Para abordar esta tensión:

- Esté consciente del ambiente.
- Hacer que el ambiente sea lo más cómodo posible.
- Preguntar sobre la comodidad de los asientos, temperatura del salón, alumbrado, volumen del sonido, etc., y tomar acción como sea apropiado.
- Incluir descansos en su programa, si algún aspecto de la comodidad esta fuera de su alcance (sillas duras, mala ventilación, etc.) Es mejor incorporar unos cuántos descansos adicionales que tener un público incómodo, retorciéndose en sus asientos.

El simple hecho de estar consciente y sensible hacia estas cuatro tensiones lo hará un mejor presentador. Son muy pocos los presentadores que toman en cuenta estas tensiones. Recuerde siempre: la gente compra a quienes les cae bien. A la mayoría de las personas les gusta la gente que se interesa por ellos. Una clave al éxito de la empresa de cosméticos Mary Kay es que su fundadora, Mary Kay Ash, enseñaba a sus vendedoras a comportarse como si cada persona llevara un letrero que decía "*Hágame sentir importante.*" Para abordar las Cuatro Tensiones del Público, trate a su público como a alguien de importancia.

" Servir a los demás es una responsabilidad fundamental de la vida humana."

– Woodrow Wilson

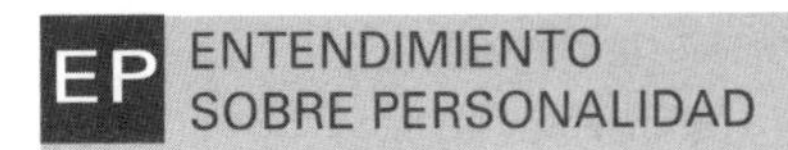

EP ENTENDIMIENTO SOBRE PERSONALIDAD

Ya que estas tensiones tienen que ver con el sentir de las personas, a menudo la gente ORIENTADA hacia las PERSONAS está un poco más consciente de estas cuatro tensiones que la gente ORIENTADA hacia las TAREAS. Normalmente, los tipos **I** alto y **S** alto se relacionan bien con el público y resuelven estas tensiones. Para los tipos **D** alto y **C** alto, el reconocer y hacer un plan para aliviar estas tensiones puede ayudarles a ser presentadores más efectivos.

Por otro lado, los del tipo **I** y **S** pueden en ocasión veces sentir estas tensiones con demasiada intensidad; quieren caerles bien a todos y que todos estén a gusto. Si las tensiones son muy intensas o difíciles de resolver, puede ser una lucha para las personas del tipo **I** y **S** centrarse en su presentación. Esta dificultad para centrarse puede hacer que se "paralicen". Es más fácil para las personas de los tipos **D** y **C** centrarse en la tarea que tienen por delante y normalmente pueden buscar solución a estas circunstancias potencialmente difíciles con mayor facilidad.

N NOTAS PARA SU NEGOCIO

En base a su tipo de personalidad, desarrolle una estrategia que utilizará para ayudar resolver *las Cuatro Tensiones del Público* cada vez que hace una presentación.

2. ¡Permítame Presentarle!

MI MENSAJE INSTANTANEO *Para forjar su credibilidad, preséntese con fortaleza.*

Cuando se presente debe incluir, como mínimo, estos dos conceptos:

1. Algo que tenga en común con su público.
2. Algunas observaciones que establecen su pericia.

Rara vez debe tardar más de sesenta segundos. Explíqueles por qué tiene el derecho de darles una charla. Entre más relevante su forma de presentarse, más alta será su credibilidad. Esté siempre dispuesto a compartir información sobre sus antecedentes y otras calificaciones. Cuénteles de sus áreas de pericia. ¿Es usted el más grande, el más listo, o tiene el mayor avance tecnológico? Quizá sea usted ¿el más trabajador? Cualquier cosa que le imparte credibilidad, eso los debe relatar.

Aún mejor que presentarse a si mismo es el aprovechar la transferencia de confianza y pedir a un miembro del público presentarle (Presentación por Anfitrión). Si un miembro respetado del grupo le presenta de forma apropiada, empieza con más credibilidad. Si tienen un patrocinador o un campeón quien lo introdujo, permítale a esa persona decir unas palabras sobre por qué lo invitaron. Esta acción sencilla puede tener un gran impacto sobre su presentación. Entienda que, aunque su patrocinador puede estar muy entusiasmado por su presentación, es posible que no sepa qué decir. De usted depende el ayudarlo. Ofrezca a su patrocinador una tarjeta índice que tiene impresa los datos para presentarlo. Puede usar puntos (viñetas) de lo más importante o la redacción precisa, dependiendo del nivel y habilidad de presentación de esa persona.

Su tarjeta índice con datos para presentarlo

- Cómo es que se conocen
- Por qué es creíble usted
- 1- 3 observaciones sobre su historia personal
- Por qué debe escucharlo a usted el público

Aún si lo acaba de conocer, aproveche su relación con su patrocinador o anfitrión y el hecho de que lo presente. Use su nombre una o dos veces durante su presentación.

"A los hombres de inteligencia se los admira, a los hombres de riqueza se los envidia, a los hombres de poder son los teme, pero sólo a los hombres de carácter se los confía."

– Anónimo

EP ENTENDIMIENTO SOBRE PERSONALIDAD

Cada tipo de personalidad tiene diferentes reservas sobre la idea de que otra persona los presente. Los datos en su *Tarjeta de Anfitrión* les dará cierta comodidad con respecto a lo que dirán acerca de usted. Asegúrese de que no se incomoden al aceptarla. Si usted reconoce el estilo de su anfitrión, es posible dirigirse a ellos de una de las siguientes maneras:

D "Respeto mucho el liderazgo que tiene usted en este grupo, y entiendo cómo lo han de poner atención. ¿Podría usted presentarme? Aquí tiene unos datos que podría compartir con ellos. ¡Usted nos dará hará empezar de maravilla!"

I "¡Es tan maravillosa la emoción que siente sobre mi presentación! Todo el mundo lo reconoce a usted, por eso yo sé que sería fantástico que me presentara. ¿Podría incluir estos datos cuando me presenta?"

S "Si usted me podría presentar, se lo agradecería tanto. El grupo estará mucho más a gusto si usted compartiera estos datos sobre mí y mis antecedentes. Para que le fuera más fácil, los apunté en esta tarjeta. ¡Muchísimas gracias!"

C "Pienso que al grupo le gustaría tener alguna información sobre mí antes de hacerles la presentación. ¿Podría usted presentarme? Aquí tiene unos datos que tal vez quisiera saber."

N NOTAS PARA SU NEGOCIO

En una presentación comercial ante un grupo, es muy importante que alguien lo presente formalmente. Si su presentación es un poco más personal o informal, podría entregar esta tarjeta a la persona quien lo presentará, y decir simplemente que cuando da presentaciones formales, normalmente lo presentan de esta forma. Entonces podría pedirles compartir la información con su público para que estén más cómodos con usted y la presentación que hará.

3. Aduéñese del ambiente

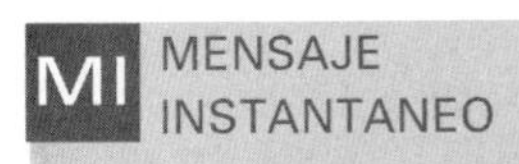

Ponga al ambiente a trabajar a su favor. Cree un ambiente donde la gente está libre para escucharlo.

La atención que pone a los detalles pequeños, como el arreglo del salón, puede ayudar o destruir una presentación. Debe ser dueño de su ambiente y lo debe demostrar a su público.

El tamaño del salón debe tener cabida cómoda para el número de personas en su público. Si el salón es demasiado grande para su público, use solamente una sección del salón.

Encárguese de adaptar al salón según su necesidad. Cuando hará una presentación ante un grupo, planee llegar temprano. No espere que todo esté arreglado exactamente de la forma que quiere. Arregle su equipo y sus apoyos visuales por adelantado. Compruebe el alumbrado, y asegúrese de saber cómo controlarlo. Si usa un proyector, mueva cualquier cosa que pudiera impedir que se vea la pantalla. Asegúrese de que la temperatura esté bien. Siéntese en sillas de partes lugares en el salón para ver la perspectiva de su público. Deje suficiente espacio alrededor de las mesas o sillas para permitir a la gente caminar e interactuar líbremente. Es decir, compruebe todos los aspectos del salón para garantizar que el ambiente no causará ninguna distracción para su público. El ambiente debe realzar su presentación para fomentar la acogida de su mensaje con la gente. Reconozca la importancia de que el ambiente opere a su favor y no en su contra. No basta con tener algo neutral - ¡el salón debe operar a su favor!

El consejo que sigue ilustra la forma en que el salón lo puede ayudar. Durante los preparativos previos a la presentación, pase al frente del salón con sus apuntes. Repase mentalmente las ideas claves y las historias. Asigne un objeto diferente que ve en el salón a cada idea clave y a cada historia. De esta manera, si pierde el hilo durante la presentación, puede mirar al objeto asignado para provocar la memoria.

Cuando empiece su presentación, mueva algo – un rotafolio, el atril o sus folletos, para demostrar su control sobre el ambiente, aún si el objeto esta exactamente donde quiere que esté. En un par de minutos los puede volver a su lugar. Es una sutileza, pero el público sentirá el control que usted tiene. Si algo sale mal, haga un cambio o ajuste rápido sin tratar de hacer a su público pensar que no ha pasado nada. Si usted está consciente de un problema, por lo menos varios de las personas en su público lo estarán también. Haga un comentario breve y de preferencia gracioso para que sepan que tiene todo bajo control, repárelo y entonces continúe con su presentación.

En una presentación de cara a cara, puede emplear los mismos principios:

1. Asegúrese que el salón esté cómodo para la persona que escucha la presentación, y
2. Mueva algo para demostrar confianza y control sobre su ambiente

" Las cosas salen mejor para quienes hacen lo mejor con lo que les sale."
– John Wooden

EP ENTENDIMIENTO SOBRE PERSONALIDAD

Los del tipo **D** alto cambian el arreglo del salón para tomar control del ambiente.

Los del tipo **I** alto adaptan sus emociones al salón para así emocionarse por su presentación y controlar el ambiente.

Los del tipo **S** alto normalmente necesitan más tiempo para acostumbrarse a su nuevo ambiente.

Los del tipo **C** alto normalmente verifican cada detalle del arreglo para así sentarse preparados y en control.

N NOTAS PARA SU NEGOCIO

La aplicación de este consejo depende del entorno de su presentación. Lo aplicaría de formas diferentes estando en, por ejemplo, un hogar particular o en un salón de un hotel. Entienda el concepto, y luego considere sus entornos.

Quizás pueda cambiarse a otro cuarto, modificar el alumbrado o apagar el televisor o estéreo. Otra manera de adueñarse del ambiente cuando está en un entorno de hogar es de hacerles a sus anfitriones un cumplido por algo que le agrada en el ambiente.

4. Empiece con fuerza

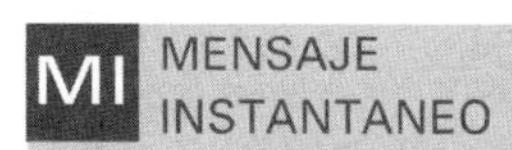

¡Jamás tendrá una segunda oportunidad de hacer una primera impresión! Haga que sus primeras palabras sean potentes.

Su frase introductoria debe fijar la atención de su público. Su público juzgará su presentación total según su forma de empezar. Muchas presentaciones fracasan porque el presentador tarda mucho en llegar al grano. Su idea principal no es algo que revela con el tiempo, más bien es como empieza. Todo lo que sigue después sirve para apoyar y reforzar su idea inicial.

Las tres metas principales que debe lograr en su frase introductoria:

1. Convencer a su público a ponerle atención
2. Introducir su tema y programa
3. Establecer su credibilidad

Los ingredientes claves de una inicio efectivo:

- Una frase introductoria que llama la atención
- Ideas claves que destacan su producto, servicio o mensaje
- El beneficio que ofrece a su público
- Palabras y gestos que comunican su entusiasmo
- El programa para su presentación

Empiece con un "gancho", es decir algo que atraerá la atención del público - una introducción de sesenta segundos que los deje con ganas de más. Algunas introducciones tiene "ganchos" como:

- ***Cita*** - de una autoridad reconocida y respetada
- ***Pregunta retórica*** - Involucra enseguida al público; es mejor una pregunta que despierta la curiosidad.
- ***Anécdota*** - Una historia personal es muy efectiva porque

permite al público empezar a relacionarse con usted de inmediato.

- Escenario - "Imagínense que ..." Invente un escenario que llama la atención o " Suponga, por un momento, que..."
- Una afirmación declarativa de hechos – Pronúnciela con con autoridad y confianza para lograr el máximo impacto.
- Una actualidad - Una situación de la vida diaria que es relevante a su presentación.

CITA *" Sólo puede inspirar a un grupo si él mismo está lleno de confianza y la esperanza del éxito."*

– Floyd V. Filson

EP ENTENDIMIENTO SOBRE PERSONALIDAD

Cuando selecciona sus frase introductoria, apóyese en su propio estilo de personalidad.

Los del tipo **D** alto pueden lograr un inicio impactante con una frase declarativa o una cita.

Los del tipo **I** alto pueden ser impresionantes si relatan una historia o describen una situación.

Los del tipo **S** alto pueden ser estables si citan a una de sus personas favoritas o una situación familiar.

Los del tipo **C** alto pueden ser objetivos con el relato de una actualidad o una cita relevante de algún experto en la materia.

N NOTAS PARA SU NEGOCIO

Este consejo se aplica tanto en los preparativos como cuando hace la presentación. Debe planificar su frase introductoria con anterioridad para que tenga impacto. La frase introductoria debe ser apta para su público y para usted. Acuérdese de crear una introductoria que sea efectiva para su historia única y su estilo de personalidad único.

5. Pruebe que esta listo

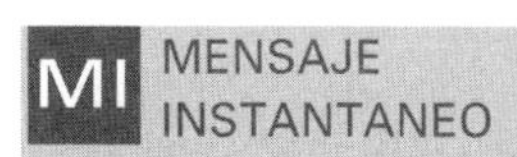

Tenga confianza, pero no se adelante a su público. Ya ha hecho sus " tareas". ¡Demuéstrelo!

Si su público sabe que usted ha preparado minuciosamente, tendrá más credibilidad con ellos. Mencione algo de lo que ha hecho en preparación del tiempo que pasarán juntos. Tome treinta segundos para contar unos de los detalles de su preparación, de tal manera que puedan ver cómo se beneficiarán. Muchas veces su público no tiene la menor idea de lo que se necesita para ser efectivo en la presentación que se les hace. Intercale esta información con su presentación sin parecer arrogante.

Pero tenga cuidado: cuando está demostrando lo calificado y preparado que es, no sabotea su éxito con dar demasiada información demasiado temprano. Hay que tomar un poco de tiempo para despertar el interés de su público para el tema. Suponga que es nuevo para ellos el tema o la información de su presentación. Cuando uno está familiarizado con el mensaje, es fácil olvidar el esfuerzo que le costó aprender esta información. Su nivel de comodidad con el material podría llevarlo a hablar demasiado y muy rápido al principio. Empiece con su frase introductoria potente, pero incorpore unas pausas y frases menos rápidas para ayudar a su público a "tomar el paso". Cuando es una presentación de cara a cara o a un grupo pequeño, podría hacer unas preguntas que ayuda a fijar más plenamente su atención en usted y su mensaje. Crea un ambiente seguro para que su público pueda hacer el cambio de lo que estaban haciendo, a su presentación. Cuando tenga toda su atención, serán mucho más receptivos hacia usted y su mensaje.

" La gente prefiere tratar con personas MUY seguras. "

– Dan Kennedy

Como truinfar en los negocios al romper todas las reglas

EP ENTENDIMIENTO SOBRE PERSONALIDAD

El reconocimiento de su estilo y sus tendencias ayudará a que esté más cómodo y equilibrado en esta parte de su presentación. El libro del Dr. Rohm, *Descubra su verdadera personalidad*, ofrece consejos específicos para ayudarle en esta área. Siguen unos pocos consejos que lo ayudarán a controlar y a presentar en base a sus fortalezas, para una efectividad máxima con la gente.

D — Los del tipo **D** demostrarán por naturaleza que están preparados, pero pueden ser un poco desmedidos.

I — Los del tipo **I** han de contar una gran historia acerca de su preparación, pero pueden perder el enfoque y pasarán demasiado tiempo en esto.

S — Los del tipo **S** habrán hecho un preparación extensa, pero es posible que tengan recelo de mostrarla. Pueden sentir que están llamando la atención en vez de entender que están compartiendo información para poner más cómodo a su público.

C — Los del tipo **C** tendrán mucha validación, pero es posible que eclipsen su objetivo, dando demasiados datos demasiado temprano.

N NOTAS PARA SU NEGOCIO

Al inicio de su presentación, esté preparado para dejar saber sutilmente a su público cuánta preparación ha hecho para la ocasión. Es posible que se olvide, mientras hace la presentación, cuánto le costó a usted aprender lo que sabe ahora. Es posible que no sea aparente de inmediato a la persona nueva, que por primera vez escucha su mensaje. Tenga confianza, pero déles la oportunidad de ponerse al corriente.

Acuérdese de indicar a su público la forma en que ha personalizado su presentación para ellos y el gusto que le da estar con ellos.

6. Soportes entre el público

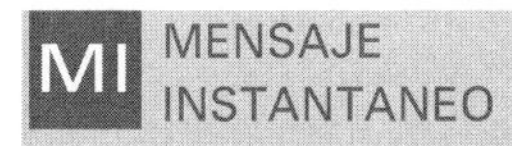

MENSAJE
INSTANTANEO

Busque un miembro confiado y respetado del público para dar validez a su mensaje.

Puede identificar a esta persona durante su investigación previa a la presentación o durante sus intercambios tempranos con el público. Si puede encontrar a un soporte – cómo sea y cuándo sea - ¡hágalo! Busque a algún integrante de su público que esté dispuesto a ser el soporte, o abogar a favor, de su mensaje. Pídale a su soporte decir unas cuantas palabras y explicar la manera en sus ideas han dado resultado en el pasado. Planifique por anticipado los testimoniales en vivo. Sus soportes pueden ayudar a reforzar su mensaje y añadir una tremenda credibilidad a su presentación.

CITA *" Busque a personas que pertenecen al grupo, y que por sus propios motivos quieran que usted triunfe."*

– Orvel Ray Wilson,

Negociando al estilo guerrilla

EP ENTENDIMIENTO SOBRE PERSONALIDAD

Cada estilo de personalidad tiene sus propios motivos por convertirse en un soporte.

D Los del tipo **D** alto quiere ser campeones poderosos. Quieren hablar de resultados y éxitos.

I Los del tipo **I** alto estarán encantados de ser su "estrella". Es posible que quieran que todos sepan que usted los conoce y que le caen bien.

S Los del tipo **S** alto, por lo usual, evitarán hablar delante de un grupo, pero es posible que acepten si creen que le será de ayuda a usted.

C Los del tipo **C** alto quieren proporcionar información. A menudo les gusta hablar en carácter de experto.

N NOTAS PARA SU NEGOCIO

Su soporte puede ser el anfitrión de la reunión o la persona que lo invitó a dar la presentación. Ayúdele a ser su soporte. Investigue, por adelantado, lo que más le gusta sobre lo que usted presentará. También de antemano, avísele que le va a pedir decir unas palabras.

7. Use palabras persuasivas

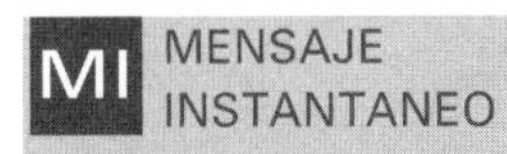

¡Importa tener las palabras idóneas! Aprenda a usar vocabulario persuasivo.

Un estudio de la Yale University reveló que las palabras en la lista de abajo con doce de las palabras más persuasivas. Aprenda a usarlas deliberadamente en sus conversaciones y sus presentaciones.

Las Doce Palabras Más Persuasivas:

USTED / TU
AHORRAR
RESULTADOS
SALUD
AMOR
COMPROBADO
DINERO
NUEVO
FÁCIL
SEGURIDAD
DESCUBRIMIENTO
GARANTIZADO

"C CITA *" La herramienta más importante de persuasión que está entre su arsenal es la integridad. "*

– Zig Ziglar

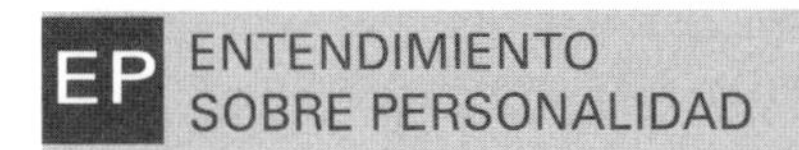

Hemos indicado los tipos de personalidad DISC más influenciados por cada palabra:

USTED	**D/I**	DINERO	**D/C**
AHORRAR	**C/D**	NUEVO	**I/D**
RESULTADOS	**D**	FACIL	**S/I**
SALUD	**C/S**	SEGURIDAD	**S/C**
AMOR	**I/S**	DESCUBRIMIENTO	**D/C**
COMPROBADO	**S/C**	GARANTIZADO	**C/S**

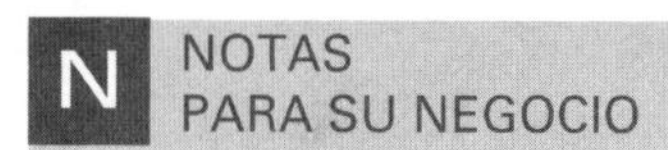

Este consejo le da una manera práctica de valorar y poner atención a la gente, empezando desde su primer encuentro. En cuanto reconoce su estilo, use las palabras que mejor se relacionan a la persona. Recuerde que cuando entiende los estilos de personalidad, tiene una gran herramienta que lo ayudará a entender a las personas especiales con quienes interactúa. Cuando hace una presentación a un grupo, acuérdese de usar muchas de la palabras en esta lista para aumentar la atracción de su mensaje.

Sea un público de una sola persona o de un grupo grande, es un gran consejo que puede usar para convertir su interés verdadero por los demás, en una presentación muy efectiva y persuasiva.

8. Use citas de su público

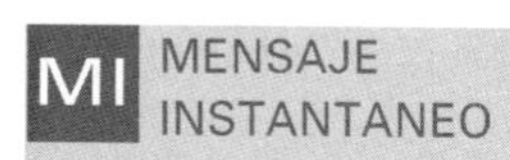

Le es difícil a la gente oponerse a sus propias palabras

Si tiene la oportunidad, apunte las palabras exactas que usa el público cuando describen sus necesidades y lo que quieren lograr. Cuando pueda, incorpore estas palabras exactas en su presentación y/o correspondencia. Este un paso pequeño confirmará a su público que los ha escuchado y que entiende su situación y su punto de vista. Será infinitamente más persuasivo si les responde con sus propias palabras.

Para darles sus palabras exactas, se requiere la disciplina de tomar apuntes desde el primer contacto - sea por teléfono, carta, correo electrónico o de cara a cara. ¡Realmente se les hace difícil a la gente oponerse a sus propias palabras!

Tony se ha autoentrenado a tomar apuntes cuando primero entra en contacto con una persona. Apunta las propias palabras de una persona al dorso de su tarjeta de presentación, en una hojita Post-It note™, o en cualquier otro papel que tenga él a la mano. Como resultado, cuando prepara una presentación siempre está preparado. ¡Los resultados valen la pena!

Es una técnica sencilla, pero potente, ¡pruébela! Incluya las palabras de su público en las ayudas visuales o folletos que usted usa en su presentación oral. Cítelos. Haga referencia a ellos. Use las palabras propias de su público para crear una presentación convincente.

" La expresión oral busca persuadir y hacer al oyente creer que se ha convertido. Pocas personas tienen la capacidad de ser convencidos; la mayoría se permiten persuadir. "

– Johann Wolfgang von Goethe

Dramaturgo, novelista, poeta alemán 1749-1832

EP ENTENDIMIENTO SOBRE PERSONALIDAD

Cuando usa las citas y los apuntes de entrevistas previas a la presentación, está usando el lenguaje de personalidad de su público. Se impresionan, no sólo por el hecho de haberlos puesto atención a ellos y sus necesidades, pero también por el hecho de apelar al estilo de personalidad de ellos.

N NOTAS PARA SU NEGOCIO

Ponga atención a los sueños, sentimientos y necesidades de su público. Cuando usted arma una presentación en torno a las palabras y pensamientos de ellos, se verán impulsados a la acción. ¡Use las palabras de ellos para convencerlos!

9. Materiales que amplían su impacto

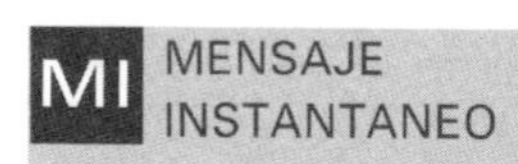

¡La gente lo recordará por las materiales que los deja!

Los materiales repartidos ayudan a que su público recuerde su presentación y maximizan la probabilidad de que tome acción. Diséñelos para atraer. De igual importancia, los debe diseñar tal que el público se adueñe de los materiales. Deje un espacio para que escriban sus nombres los participantes.

Puede aumentar el poder persuasivo de su presentación si utiliza sus materiales y folletos para establecer su liderazgo. El proceso es como sigue:

1. Pida inmediatamente a cada participante escribir su nombre en los materiales. Este acto sencillo lleva una orden oculta y sutil que ayuda a establecer el tono de su presentación. Al pedir a las personas que escriban sus nombres en los materiales, empieza una pauta de que ellos siguen lo que usted dice.

2. A principios de la presentación, vuelva otra vez a darles una instrucción, pidiéndoles levantar la mano para responder a una pregunta.

3. Luego, pídales hacer alguna cosa más - contestar una pregunta, escribir datos en los materiales repartidos, completar un ejercicio breve, etc. Pida a su público hacer algo que cumpla el propósito del Esquema 3-D (*3-D Outline*™) para que una vez más estén respondiendo a su liderazgo.

Esta secuencia – el obtener tres acciones en respuesta a su liderazgo – sienta precedente para que el público lo sigue. Esta secuencia les marca la pauta para seguir sus recomendaciones al fin de la presentación.

Cuando prepara los materiales, tenga en cuenta:

- ¿Qué tipo de información quiere que la gente se lleve de su presentación? ¿Los materiales tienen coherencia con su objetivo? ¿Existen ya materiales para cumplir ese objetivo?

- Se enviarán los materiales por correo electrónico con anterioridad, se repartirán durante la presentación o se enviarán después?

- Los materiales ¿motivarán a su público hacia un acuerdo con su propuesta? Si no, reconsidere el formato y el objetivo de los materiales.

Otros consejos y consideraciones:

- Haga referencia a los materiales, pero no los lea palabra por palabra.
- Cuando sea posible, incluya su nombre y número de teléfono en cada página.
- Deben ser cortos y concisos. Si sus materiales son demasiado largos, su público no los leerá.
- A la gente le gusta recibir algo extra y gratis. Hasta un resumen de una sola página de lo que dijo en la presentación es de valor.
- La gente cree más fácilmente lo que usted dice, cuando lo ve por escrito.

Una hoja de apariencia profesional es fácil preparar y es un maravilloso colaborador silencioso. Refuerza su mensaje con semanas de anticipación a su presentación.

" La palabra oral podrá viajar más rápido, pero no se lo puede llevar consigo en la mano. Sólo la palabra escrita puede absorberse a la entera conveniencia del lector."

– Kingman Brewster,
Presidente, Universida de Yale, diplomático, 1919-1988

EP ENTENDIMIENTO SOBRE PERSONALIDAD

Sus materiales lo ayudan de dos maneras importantes:

1. Reflejan quien es usted. Expresan algo con respecto a su personalidad. Si usted es una persona que adora la diversión, deben ser muy visuales y divertidos. Si es muy organizado, sus materiales lo serán también.

2. Sus materiales también apoyan los puntos ciegos de su propia personalidad. Por lo general, su punto ciego proviene del tipo DISC más BAJO en su mezcla personal de estilos. Si usted tiene un:

   Estilo **D** BAJO - sus materiales pueden ayudar a expresar de forma clara y directa sus ideas principales.

   Estilo **I** BAJO - use una caricatura para traer a su público una sonrisa.

   Estilo **S** BAJO - use materiales en apoyo de sus conclusiones

   Estilo **C** BAJO - sus gráficos pueden agregar hechos y cifras importantes que pueden ser difíciles para usted, y su público, recordar con precisión.

N NOTAS PARA SU NEGOCIO

Experimente y practique para identificar los materiales que le darán los mejores resultados. Aprenda tanto a usar los materiales ya existentes como a crear materiales personalizados según sea indicado para satisfacer las necesidades de su presentación.

10. Ponga la diversión en su presentación

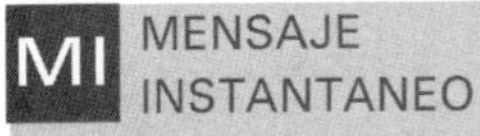

¡Su público quiere disfrutar de su presentación!

Crea un ambiente que su público disfrute. Recuerde que las personas aprenden de diferentes formas, y debe incluir algo para cada uno de los tres estilos *primarios de aprendizaje*:

- Los de ***aprendizaje visual*** quieren ver algo. Realmente responden a las ayudas visuales y demostraciones.
- Los de ***aprendizaje auditivo*** escucharán lo que usted dice. Más que los otros dos estilos, pondrán atención a su tono.
- Los de ***aprendizaje kinestético*** quieren manipular sus ideas literalmente. Le ayudará mucho comunicarse con ellos si les pide hacer algo en papel.

Si en algún momento durante su presentación usted enseña al estilo de aprendizaje de ellos, la gente se sentirá mucho más a gusto.

Cree un ambiente que complemente su mensaje para que su público pueda sentir su mensaje. Ya que el ambiente provoca una respuesta emocional en lugar de lógica; debe saber cuáles las emociones quiere su público sentir. Por lo general, de la tabla de abajo, la mayoría de los integrantes del público prefieren el ambiente del lado izquierdo y no el ambiente del lado derecho. Existen las mismas expectativas aún cuando el público incluye muchos profesionales, a quienes normalmente esperamos ser más reservados y conservadores.

Ambiente Agradable	Ambiente Menos Agradable
Emocionante	Serio
Entretenido	Reservado
Atractivo	Solitario
Relajado	Formal
Animado	Lento
Directo	Sofisticado
Divertido	Ostentoso
Provocativo	Cerrado
Ruidoso	Callado

Sus tonos ó captarán ó perderán la conexión con su público. Use la tabla de abajo para igualar su tono a lo que su público quiere oír.

Tono que adora el público	Tono que odia el público
Familiar	Tipo conferencia
Abierto	Reservado
Accesible	Distante
Entendido	Presumido
Seguro de si mismo	Grandilocuente
Entretenido	Aburrido
Cómico	Ofensivo o maleducado
Humilde	Arrogante
Ilusionado por estar allí	Mecánico - esto ya lo he hecho antes

CITA

" Jamás hable a un grupo. Hable a solamente un oyente a la vez. Mírelo directamente por cinco segundos... y luego mire a otra persona. Da al presentador la sensación de hablar en privado."

– Charlie Windhorst

EP ENTENDIMIENTO SOBRE PERSONALIDAD

Muchas de las características que el público adora tanto en la presentación como en el presentador son las características del tipo I alto. Esto se entiende, cuando se consideran las características básicas de comportamiento del estilo I alto. ¡Son buenos para – y les gusta - persuadir e interactuar con la gente. Por eso es que muchos de ellos van a Hollywood a trabajar de actores!

Si entre su mezcla de estilos no está el I alto, no se desespere. Puede desarrollar las habilidades y aprender las técnicas que les son naturales a ellos. Si usted tiene un estilo tipo I alto, note que ciertas de la cualidades negativas en la tabla, como la presunción o la arrogancia, son características de un tipo I alto descontrolado.

Los del tipo **I** alto deben tener en cuenta este Consejo Secreto:

***CONSEJO SECRETO*:**

Es AGRADABLE ser IMPORTANTE,

pero es más IMPORTANTE ser AGRADABLE.

N NOTAS PARA SU NEGOCIO

¡Que listas más útiles para la evaluación y mejora de sus presentaciones! Tome nota especial de las características que usted presenta por naturaleza, y úselas para animar su presentaciones. Si algunas de estas características no es natural para usted, busque un mentor o entrenador que lo ayude a aprender estas habilidades.

11. El entusiasmo

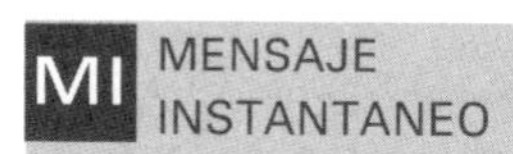

La gente percibe su credibilidad por el entusiasmo que usted tiene por lo que presenta.

Zig Ziglar dice, con respecto al entusiasmo: "Si a mi no me emociona dar una charla, no hay público en el mundo que se emocione por escuchar mi charla. Doy cada charla como si fuera la última que daré en mi vida. Puedo decir con toda sinceridad que cuando yo me bajo de la plataforma, el público acaba de recibir lo mejor que podía dar." Nadie más se ilusionará por su producto, servicio o mensaje si no lo hace usted primero.

Las personas suelen basar sus creencias y tomar sus decisiones de compra en base a sus emociones. Normalmente usan la lógica para justificar su decisión después de tomarla. Entre más pasión exprese usted por su producto, servicio o mensaje, más apelará a sus emociones. Mientras apela a sus emociones, se vuelve más convincente.

" El mejor estímulo de un público es el entusiasmo obvio del conferencista. Si usted tiene poco entusiasmo por el tema, pues ¡olvídelo!"

- Tom Peters

EP ENTENDIMIENTO SOBRE PERSONALIDAD

Por lo general, para la gente más **EXTROVERTIDA**, los del tipo **D** e **I**, les es más fácil expresar su entusiasmo. Si tiene un estilo **EXTROVERTIDO**, ¡muéstrelo! Si tiene un estilo más **RESERVADO**, del tipo **S** y **C**, tiene un deber con su público de mostrarles lo que siente por el tema. Con una historia personal a principios de su discurso podrá mostrarles su sentir. Recuerde, *¡es la pasión que persuade!*

¡El entusiasmo es contagioso! Si espera inspirar emoción en su público y convencerlos de que deben responder a su presentación, ¡tiene que estar entusiasmado usted mismo!

N NOTAS PARA SU NEGOCIO

Para los tipos **RESERVADOS** no es fácil mostrar entusiasmo, pero sí es posible. Si quiere ser un presentador convincente, aprenda a mostrar la pasión y emoción que tiene por su mensaje. Es posible que necesite un mentor o un entrenador para ayudarlo en esta área. Cuando repasa las grabaciones en video y/o audio hechas de su presentación, note su entusiasmo. El repaso de las grabaciones lo ayuda a ver lo que ve su público cuando usted hace una presentación.

12. Pausas intrigantes

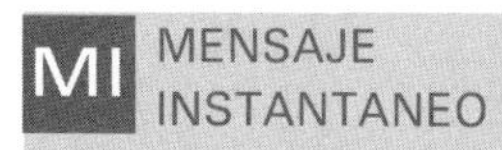

MENSAJE INSTANTANEO *Hay poder en la pausa*

Nunca subestime el poder de una pausa bien calculada. Las pausas dan impacto dramático a lo que uno está diciendo. Una pausa al principio de su presentación captará la máxima atención de su público.

Una pausa entre el cuento y el remate de un chiste o la idea final de la historia, da a su público la oportunidad de entender el chiste o la historia por completo. La pausa da poder al remate o al final de la historia.

Piense de algún presentador que ha escuchado usted, que da buen uso a las pausas. Su pausa larga, de entre uno y tres segundos, ¿le hizo a usted pensar que lo que iba a decir debía ser muy importante? Entre más importante sea la idea, más importante es que usted haga una pausa y deje que las palabras penetren antes de pasar al próximo punto.

CITA

" La palabra idónea puede ser muy efectiva, pero ninguna palabra ha sido tan efectiva como una pausa bien calculada."

– Mark Twain

EP ENTENDIMIENTO SOBRE PERSONALIDAD

Una pausa efectiva toma más autocontrol que el hablar. A menudo, cuando una persona del tipo **D** o **I** siente emoción, hablará muy rápido y olvidará la pausa. Cuando uno del tipo **S** o **C** hace una presentación, es posible que el silencio los incomode ya que se supone que ellos deben estar hablando. En cualquier caso, tome las cosas con calma y relájese. Acostúmbrese al silencio planificado.

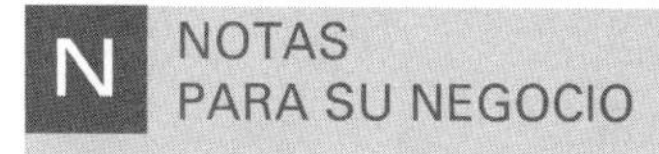

NOTAS PARA SU NEGOCIO

El secreto de las pausas está en reconocer el momento oportuno. Para aprender sobre las pausas, escuche a los grandes presentadores. Observe cómo las usan y cuándo. Recuerde, entre más importante la idea, más larga la pausa.

13. Movimiento y contacto visual

MI MENSAJE INSTANTANEO — *El movimiento y contacto visual comunican emoción.*

Use sus movimientos y la mirada para controlar el ambiente. Cuando quiere fijar la atención del público sobre alguna idea específica, acérquese más a ellos. Este cercanía estrecha comunica sinceridad. Cuando ande por el salón, trate de darles la mano o hasta sentarse en una silla con el público. Si un miembro del público habla demasiado suave como para que todos le que escuchen, aléjese un poco y por naturaleza, hablará más fuerte.

Es más persuasivo, en la mayoría de los casos, hacer una presentación parado, en vez de sentado. Cuando está de pie, usted y su mensaje son el centro de atención. Sus gestos son más grandes y más fuertes, su voz es más alta y su apariencia en general es más imponente. Sin embargo, cuando hace la presentación a solamente una o dos personas, puede ser un poco prepotente estar de pie. Escoja la postura apropiada para establecer el ambiente adecuado según el tamaño de su público.

El movimiento y la mirada van tomados de la mano. Para tener la máxima credibilidad, siempre debe mantener contacto visual con su público. Si usted hace contacto visual por tres a cinco segundos con diferentes integrantes de su público, se verá más sincero, más convincente y con seguro de sí mismo, que el presentador que recorre al público con su mirada. Para mantener la atención del público, mire a los ojos a cada persona por un mínimo de tres segundos antes de apartar la vista.

En un grupo muy grande, puede ser imposible mirar a cada persona por tres segundos. En este caso, seleccione a varias personas en diferentes partes del salón y dirija la mirada a cada uno de ellos. Diez vecinos de la persona con quien ha hecho contacto visual tendrán la impresión que los está mirando a ellos. Si escoge varias personas claves con quienes conectar, en diferentes áreas del salón, la mayoría de la gente creerá que los ha mirado personalmente a ellos.

El contacto visual es algo que puede practicar. Vaya al salón donde hará su presentación (u otro similar si el salón designado no está disponible) y ponga una hoja de papel sobre cada tercer o cuarto sillón. Párese al frente del salón y por tres a cinco segundos concentre su atención sobre cada sillón señalado. Le asombrará lo largo que esos tres a cinco segundos pueden sentir en este contexto. Es probable que empiece con uno o dos segundos, pensando que son por lo menos cinco. Esta tendencia de quitar la mirada demasiado pronto es la razón de que recomendamos practicar el arte del contacto visual efectivo.

"C CITA

" Pienso que un conferencista pierde mucho cuando está parado ahí sin gestos, sin emoción, y hace una presentación – en contraste al conferencista que deja que entren sus emociones en lo que está diciendo. Creo que, sin lugar duda, deben usarse los gestos porque Dios no nos creó para ser como piedras. Quiero que la gente me mire y diga, " Él siente lo que hace."

– Nido Quebein

EP ENTENDIMIENTO SOBRE PERSONALIDAD

Su estilo de personalidad en verdad se aprecia en sus movimientos y contacto visual.

D Los del tipo **D** suelen a estar seguros de sus movimientos, pero pueden dar la impresión de ser demasiado fuertes o bruscos. No teman hacer contacto visual con su público. Deben recordar que los tipos más reservados pueden sentir que el conferencista les está clavando la mirada.

I Los del tipo **I** tienden a ser juguetones y alegres, pero si no se cuidan, pueden dar la impresión de jugar demasiado. Les encanta establecer el contacto visual. Deben tener en cuenta no distraerse con la respuesta del público.

S Los movimientos del tipo **S** suelen ser moderados y abiertos, pero si se ponen nerviosos es posible que parezcan débiles o rígidos. A menudo, dudan de hacer contacto visual con personas desconocidas. Cuando lo hacen, imparten un sentir acogedor y amable que aumenta su efectividad.

C Los del tipo **C** tienden a limitar sus movimientos, pero si se dejan perder en su tema, pueden ser sumamente expresivos. Establecen contacto visual con cautela, pero cuando permiten a los demás ver la pasión en sus ojos, realmente brilla su intensidad.

N NOTAS PARA SU NEGOCIO

Debe ponerse cómodo con su movimiento y contacto visual. ¡Aprenda a aprovecharlos! Si está haciendo una presentación a una persona o a 5.000, deje que sus movimientos y su contacto visual obren juntos para ayudarlo a comunicar su mensaje con mayor eficacia.

14. Actúe con integridad

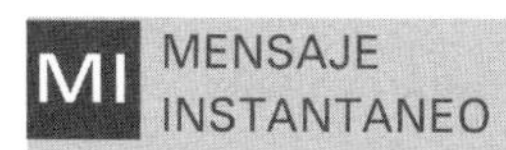

Compórtese con naturalidad. Diga la simple verdad de forma clara, para que su público sepa cómo quiere usted que se comporten ellos.

Siempre debe actuar con integridad. Es mucho menos probable que su público lo acepte a usted, sus ideas, o sus productos, si hay alguna duda con respecto a su credibilidad. Entre más honesto sea, más efectivo será su presentación. Esto significa integrar sus palabras, tono de voz, lenguaje corporal y ayudas visuales tal que todos presenten el mismo mensaje. Para verificar su cumplimiento con este punto, estudie una grabación en video de su presentación. Si algo le parece mal, ¡cámbielo!

Nadie puede expresar la importancia de la integridad mejor que Gerry Spence, un abogado de tribunal que jamás perdió un caso. En su libro absorbente, *How to Argue and Win Every Time* (*Como Discutir y Ganar Cada Vez*), escribió:

"C CITA *" Uno puede ser el mejor orador que el mundo haya conocido jamás, poseer la mente más ágil, utilizar la psicología más ingeniosa, y dominar todos los recursos técnicos de discusión pero si no es creíble, igual daría predicar a los pelícanos. El detector de mentiras y su operador podrán tardar minutos o hasta horas para completar su análisis de una sola frase. En fracciones de un segundo, con la misma rapidez que pronuncia las palabras el orador, nuestras mentes registran conclusiones sobre su credibilidad."*

– Gerry Spence

Sea auténtico, sea honesto y ganará el negocio. Tenga en mente esta fórmula:

FUERZA + BREVEDAD + SINCERIDAD + SIMPLICIDAD = UNA GRAN PRESENTACIÓN

EP ENTENDIMIENTO SOBRE PERSONALIDAD

Considere la formula desde la perspectiva de personalidad:

D Los del tipo **D** alto serán atraídos por la *Fortaleza.*

I Los del tipo **I** alto gozarán la *Brevedad.*

S Los del tipo **S** alto agradecerán la *Sinceridad.*

C A los del tipo **C** alto les vigorizará la *Simplicidad.*

Una gran presentación atrae a los cuatro tipos de personalidad. A medida que se relaja y se expresa a sí mismo, demostrará sus propias fortalezas y se presentará bien. Mientras actúa con integridad con respecto a su producto, servicio o idea, atrae a su público. Esta atracción es el primer paso hacia convencerlos.

N NOTAS PARA SU NEGOCIO

El actuar con honradez no solamente produce una gran presentación, sino que lo convierte en una persona con quien los demás querrán hacer negocios. La gente quiere trabajar con uno cuando siente que lo pueden confiar. Asegúrese de usar la idea de Tony de grabarse en video para afinar su presentación y buscar cualquier brecha en la integridad de la presentación. (Recuerde el consejo anterior de ver el video sin sonido.)

Persuadir

Usted ha Preparado, Planificado, Practicado, Personalizado y Presentado. Ahora quiere Persuadir. Ha llegado al punto final de una presentación convincente. Cuando decimos "Persuasión", nos referimos a impulsar a la gente a que tome acción.

1. El humor abre el corazón
2. Haga participar al público
3. Hable, pregunte, escuche, resuma
4. Preguntas y repuestas
5. Cómo manejar las objeciones
6. Termine a la hora propicia
7. Cierre acertado, ¡no acelerado!
8. Bueno, breve y basta

CITA *"A menudo, más daño sufre una buena causa por los esfuerzos mal calculados de sus amigos que por los argumentos de sus enemigos. En asuntos que dependen de la voluntad de los demás, la persuasión, la perseverancia y la paciencia son los mejores abogados."*

– Thomas Jefferson

1. El humor abre el corazón

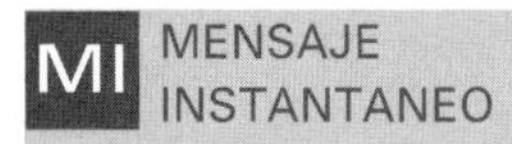

Logre hacer reír a su público.

Durante toda su presentación, use el humor para comunicar su idea. Aliviará la tensión y por asociación, ganará la simpatía de la gente. El público casi espera aburrirse. Estarán agradecidos, a usted y a su mensaje, si hace el esfuerzo de hacerlos divertir un poco.

En vez de simplemente empezar con un chiste para ser cómico, crea un ambiente entretenido que mejorará su presentación y la hará más memorable. Emplee variedad y drama en su voz y lenguaje corporal. Varía la atmósfera dentro de la presentación. El humor abre el corazón y deja la puerta abierta a su mensaje. Aunque el tema sea un poco aburrido, si lo presenta de una forma divertida e informativa muy rara vez se quejará la gente.

CITA

" Hay tres cosas que son reales; Dios, el capricho humano y la risa. Los dos primeros están fuera de nuestro entendimiento. Así que debemos hacer lo que podamos con la tercera."

– John F. Kennedy

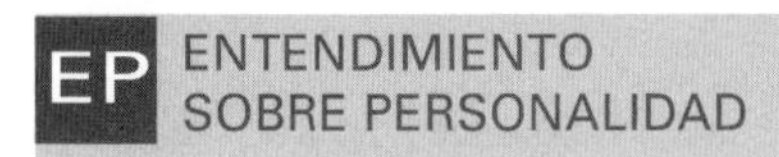

En las materiales promocionales del Dr. Rohm, nos encanta decir *" Escuche, ríase y aprenda con el Dr. Rohm..."* La risa afecta a cada estilo personalidad de diferentes maneras, pero a todos los atrae al mensaje que usted presenta.

Los del tipo **D** alto perciben su humor como algo potente porque demuestra su capacidad para controlar a su público. Si usted tiene poder, lo querrán escuchar.

I Los del tipo **I** alto lo evalúan por su talento verbal, y esto mejor sale a lucir en su habilidad de entretener a los demás. ¡A ellos les encanta divertirse!

S Los del tipo **S** alto quieren que sea agradable, entonces un chiste amigable ganará su simpatía.

C A los del tipo **C** alto les agrada presenciar la ironía humana. No espere que suelten carcajadas. Tenga por seguro que una sonrisa indica que lo están disfrutando.

N NOTAS PARA SU NEGOCIO

En el mundo comercial, ¡no es malo divertirse! Los negocios son cuestión de relaciones personales. Estreche sus relaciones con la gente con un poco de humor en su presentación. Considere, por un momento, cómo podrá usar su estilo de personalidad para divertirse con su público.

2. Haga participar al público

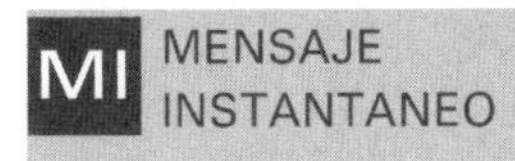

Logre la participación activa de su público. Pídales hacer algo más que simplemente estar sentados con la mirada fija.

Logre la participación activa de su público. De la participación nace la aceptación. De los monólogos nace el aburrimiento. Cuando hace participar a su público, prácticamente garantiza una repuesta más entusiasta.

El adulto típico retiene:

- 10 % de lo que lee
- 20% de lo que oye
- 30% de lo que ve
- 50% de lo que oye y ve
- 70% de lo que dice
- 90% de lo que dice y hace

En una presentación de seminario o taller, puede usar juegos de entrenamiento para la participación de grupos pequeños. Pero hay muchas otras maneras para involucrar a su público que no requieren facilitar juegos. Use la música, videos cómicos, un sketch satírico, teatro improvisado o utilería. Pídales llenar los espacios en sus materiales o folletos. Hágales responder a preguntas. Póngales a trabajar en grupos pequeños. Podría simplemente preparar por anticipado unas preguntas que ayudan a reforzar las ideas principales de su presentación. Sea creativo. Casi no hay límite a las posibilidades.

Asegúrese de elegir una actividad que sea apropiada para su mensaje y para su público. Entonces asegúrese de darles instrucciones más claras que agua, un público confundido es un público frustrado. Si se llegan a frustrar con su actividad, estarán menos dispuestos a actuar sobre sus recomendaciones después de la presentación.

" Dígame y me olvido. Enséñeme y me acuerdo. Involúcreme y yo aprendo."

– Benjamin Franklin

EP ENTENDIMIENTO SOBRE PERSONALIDAD

D Los del tipo **D** suelen aburrirse pronto. Planifique algún tipo de actividad que los impida adelantarse demasiado y para mantener su interés.

I Los del tipo **I** tienden a distraerse si no están disfrutando. Planifique algún tipo de actividad divertido que los atraiga.

S A los del tipo **S** les gusta saber qué es lo que sigue y cómo se hace. Asegúrese de no sorprenderlos o ponerlos en apuros con sus actividades. Cree un ambiente seguro en que pueden participar.

C Por lo general, a los del tipo **C** no les gustan las actividades. A menudo los consideran como algo frívolo. Asegúrese de poder enlazar su actividad con algún objetivo de aprendizaje, para no perder su credibilidad con ellos.

N NOTAS PARA SU NEGOCIO

Las actividades pueden ampliar tanto el aprendizaje del público como su acogida. Planifique alguna actividad interactiva para su presentación, para que los integrantes de su público puedan "captar" su mensaje.

3. Hable, pregunte, escuche, resuma

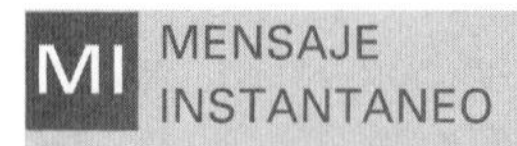

Resume de cuando en cuando, para asegurarse de que cada punto quede claro y completo antes de avanzar al próximo punto. Resuma al final para dar énfasis a su idea principal.

Cinco razones por las que es importante resumir:

1. Para darle otra oportunidad más para recalcar las ideas principales.
2. Para dejar al público lo más fundamental de sus ideas.
3. Para hacer cualquier aclaración necesaria
4. Para cerrar la sesión de Preguntas y Respuestas.
5. Para que el público sepa que está a punto de terminar.

Sus frases finales deben ser positivas y optimistas - aún si acaba de haber un intercambio acalorado de negociación. Tenga sus apuntes en la mano para no estarlos buscando a tientas después de terminar. Preserva el contacto visual con su público y concluya con convicción. Después de pronunciar la frase final de su presentación a un grupo, con la mirada puesta en su público, haga una pausa de un par de segundos, y entonces retírese del frente del salón. La impresión final que tendrán de usted será una de control y confianza.

Frases finales que debe evitar:

- "Bueno, parece que es todo."
- "Se me acabó el tiempo."
- "Quizás podrían ustedes..."
- "Si lo quieren probar..."

Buenas frases de clausura:

- " Para resumir..."
- " Voy a tomar unos seis minutos para resumir..."
- " He presentado las alternativas. Les recomiendo..."
- " En conclusión, la idea más importante es..."

CITA

" Por favor, tenga la gentileza de poner sus conclusiones y recomendaciones en una sola hoja de papel al inicio de su informe, sin lo cual ni consideraré leerlo."

– Winston Churchill

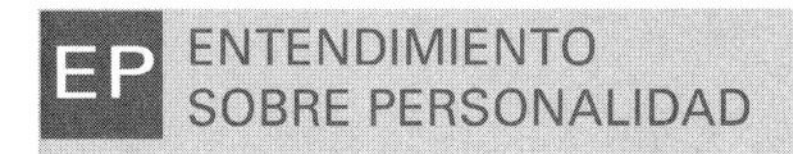

ENTENDIMIENTO SOBRE PERSONALIDAD

Su resumen es de suma importancia. Es probable que tenga muchos diferentes tipos de personalidad en su público, así que una excelente oportunidad para asegurar que estén interesados y prestando atención a lo que usted los pedirá hacer. Busque una frase final que sea cómoda y funcione para usted; entonces relájese y lea su público. ¡Se está acercando a la meta!

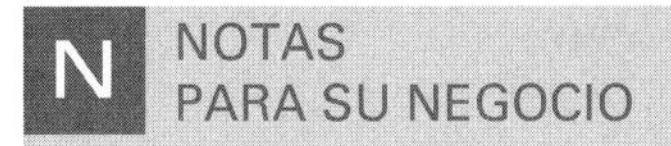

NOTAS PARA SU NEGOCIO

Escuche a otros presentadores. ¿Cómo cierren ellos? ¿Qué palabras utilizan? ¿Qué movimientos corporales emplean? ¿Qué tono de voz?

Su mentor o entrenador pueden tener una frase final especial que funcione bien para ellos. Si es cómodo para usted, puede usarla. Si no le es cómodo, puede ser simplemente una diferencia de personalidad. Quizás pueda modificarla un poco para que le funcione. O, es posible que tenga que buscar su propia frase final. Asegúrese de hallar algo que le sea cómodo, para que a este punto pueda estar emocionado y relajado. Su atención debe estar centrada en su público y no en usted mismo.

4. Preguntas y Respuestas

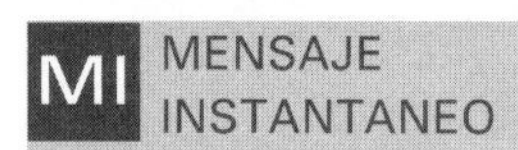

Una sesión de preguntas y respuestas puede ser una herramienta persuasiva impactante. Utilícela bien.

La sesión de preguntas y respuestas de su presentación puede ofrecer una manera muy efectiva de asegurarse de haber realmente convencido a su público. Tenga en cuenta que esta sección revela la reacción de un miembro del público a otro. Esto quiere decir que pueden confirmar la importancia de lo que ha dicho o la pueden desvalorizar. Esta sección debe siempre programarse para antes del cierre final. La sesión de preguntas y respuestas no debe ser el último segmento de su presentación. Es demasiado arriesgado enredarse en preguntas después de haber entregado un último argumento apasionado.

Antes de empezar su presentación, prevea algunas preguntas típicas. Luego, prepare por anticipado una posibles respuestas.

Para mantener la presentación bajo su control, debe dar a su público directrices para sus preguntas. Habiendo establecido las directrices de la sesión de preguntas y respuestas, una buena introducción seria, "¿Quién tiene la primera pregunta?" o "¿Qué preguntas tienen para mí?"

Consejos para manejar las preguntas:

1. Mire a la persona que hace la pregunta, y deje que termine de hablar antes de contestar.
2. Si la pregunta es muy larga y muy compleja, pídale que la repita. Esto a menudo deja las preguntas en claro para usted y para los demás. Replantee su pregunta para que todos la puedan escuchar y para confirmar haberla entendido correctamente.
3. Si quiere, puede hacer una pausa antes de contestar una pregunta. Tome un momento para organizar sus pensamientos y formular la respuesta.
4. Asegúrese de realmente contestar la pregunta.

5 Haga que su respuesta sea lo más conciso posible.

6 Si alguien le pide algo que no puede cumplir, diga "Comprendo lo que me está pidiendo. Lo que puedo hacer es..." en lugar de decir, "No lo puedo hacer."

7 Mientras conteste sus preguntas, preserve el contacto visual con el público. Como mínimo, mire a los ojos a la persona que hace la pregunta, cuando empieza y cuando termina de darle la respuesta.

8 Cuando contesta las preguntas, manténgase en control de sus emociones. No se ponga a la defensiva si la pregunta parece ser amenazadora. Mantenga la objetividad. Trate con respeto a la persona y la pregunta. (Recuerde: *El tacto es el arte de hacer una observación sin hacer un enemigo.*)

9 Nunca conteste una pregunta diciendo que ya abarcó esa información en la presentación.

10 En por lo menos la mitad de sus respuestas, use hechos, no solamente opiniones.

11 Confirme con la persona haber contestado la pregunta de forma adecuada. Simplemente pregunte: "¿Eso le sirve?" o "¿He contestado su pregunta?"

12 Al final de una respuesta muy larga, vuelva a centrar la atención del grupo con un comentario como: "El concepto más importante que deben recordar de esta discusión es..."

13 Si alguien hace una pregunta que usted no esperaba o que no es pertinente, puede usar alguna de las repuestas útiles que siguen:

- "En el siguiente descanso podemos sentarnos a tratar eso."
- "Preferiría tratar esa pregunta después de la presentación, de uno a uno. Realmente queda fuera del ámbito de lo que nos ocupa hoy."
- "Me alegra que me haya hecho esa pregunta, pero al momento realmente no tengo la respuesta. ¿Podría apuntar su pregunta y entregármela para así volver a tratar la pregunta después?"

CITA *" La gente que no participa verbalmente en su presentación no ha de tener ninguna intención de seguir adelante con su propuesta. Los que le piden responder a retos están, por lo menos, interesados."*

--Tom Hopkins
Ventas para Dummies

ENTENDIMIENTO SOBRE PERSONALIDAD

Recuerde que uno tiende a contestar las preguntas según la forma en que su estilo de personalidad prefiere que lo contesten. Si entiende este concepto y controla su deseo natural, puede mejor satisfacer a la persona que le ha hecho la pregunta. Escuche la manera en que formulan la pregunta y responda de la misma forma.

A menudo los del tipo **D** lo retan con una pregunta porque quieren saber si usted realmente cree lo que dice. No se intimide por la forma en que hacen las preguntas. Sea directo y confiado de su respuesta.

Los del tipo **I** adoran la atención que reciben cuando hacen preguntas. Si usted no toma en serio a sus preguntas, ¡es posible que no reciban la atención que buscan! Sea amigable. Hágalos lucir y se lo agradecerán mucho.

Los del tipo **S** pueden parecer estar nerviosos o disculparse cuando hacen sus preguntas. Tranquilícelos, asegurándolos de que es posible que los demás también necesiten la respuesta. Agradéceles el haberle ayudado con la pregunta. No se olvide de preguntar si su respuesta les sirvió.

Cuando los del tipo **C** hacen una pregunta, por lo normal quiere una aclaración o más información. A menudo necesitan validar con un tercero la información que usted hada dado. Quieren saber cómo pueden verificar su información de otra forma o con otra fuente. Prepárese para facilitar datos sobre un sito Web, libro, artículo, trabajos investigativos o un experto, para la validación.

N NOTAS PARA SU NEGOCIO

Prevea las preguntas típicas que enfrentará. Antes de hacer su presentación, considere cómo las contestará. Hasta puede practicar sus respuestas con su mentor o entrenador. Todo esto lo pondrá mucho más cómodo antes de la presentación. También puede pensar en las preguntas que usted mismo tuvo cuando empezó a preparar y las respuestas que lo dejaron convencido.

5. Cómo manejar las objeciones

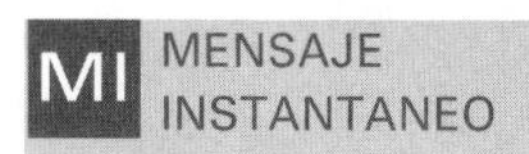

Es mejor tratar las objeciones comunes DURANTE su presentación que superarlas DESPUÉS. ¡La mejor manera de manejar las objeciones es de preparar su presentación" a prueba de NO"!

La mejor forma de tratar las objeciones es de resolverlas por anticipado. Revise su presentación detenidamente y cambie o elimine cualquier declaración que podría crear en su público una respuesta de "no".

Aún después de pasar su presentación por la "prueba de NO", es muy probable que su público tenga alguna que otra objeción que no había previsto. Las ideas a continuación lo ayudarán a manejar las objeciones:

Mencione un punto de concordancia antes de responder directamente a la objeción

Diga algo como: "Antes de hablar de eso, ¿no sería cierto decir que todos creemos que se debe hacer algo al respecto?" Este enfoque establece una conexión entre usted y su público, y pone a cierta distancia al desacuerdo.

Reconozca cuando está errado

Tenga el valor suficiente como para reconocer cuando ha caído en error. Esta honestidad puede ayudar su situación, pero, no se exagere. Basta con reconocer su error de manera sencilla y diplomática.

Mitigue la objeción

Busque la forma de cambiar las palabras a algo más positivo, o por lo menos neutral, en lugar de negativo. Por ejemplo, puede contestar a... "Cuesta demasiado... con "Hablemos del valor que aporta mi servicio a su compañía."

Cuando no sabe qué decir, pida ayuda a los miembros de su equipo

Puede decir algo como: "No estoy seguro de cómo mejor responder a esa inquietud. ¿Alguno de ustedes me puede dar la mano?"

CITA *" No necesita eliminar todas las objeciones, sino sólo las más críticas."*

– Anne Miller

365 Consejos para Ganar Negocios

EP ENTENDIMIENTO SOBRE PERSONALIDAD

La forma en que maneja las objeciones es relacionada a su estilo de personalidad.

Los del tipo **D** suelen responder a las objeciones de forma directa. A veces parecen estar enfadados con la persona o dar poca importancia a lo que ha dicho.

Los del tipo **I** tienen un trato amigable que puede desarmar las objeciones. A veces puede parecer que están tratando como broma a la objeción o que están esquivando la cuestión.

Los del tipo **S** normalmente tienen mucha paciencia, que cree simpatía en su trato de las objeciones. Pero tienden a eludir la situación, con el fin de evitar una confrontación.

A menudo los del tipo **C** cuentan con muchos datos con qué refutar la objeción. Es posible que parezcan tomar las preguntas como un insulto personal.

Con frecuencia recibirá objeciones donde la clave, también, está en la personalidad.

Los del tipo **D** a veces plantean objeciones para mostrar que están en control. Puede ser el caso en particular cuando se trata de una situación de negocio donde pueden sentir que están en competencia con usted. Reconozca su importancia y cuando pueda, ofrézcales opciones.

Los del tipo **I** pueden oponerse por motivos emocionales. Es posible que simplemente "sientan" que algo no está bien. No puede cambiar su sentir, por cuanto es difícil tratar esta objeción. Hágales saber que a usted le importa sus sentimientos en esta respecto, y ofrezca hablar más con ellos después de la presentación.

S Los del tipo **S** puede presentar una objeción porque simplemente no quieren cambiar. El presionarlos con hechos solamente los hará aferrarse más a su resistencia. Reconozca que el cambio es difícil, y tome el tiempo de asegurar que todos están atendidos y cómodos.

C Los del tipo **C** pueden oponerse por una de las dos razones que siguen:

1. Tienen una tendencia natural hacia las reacciones negativas iniciales;

   y

2. Quieren validar su información con un recurso objetivo.

Sea amigable, y déles tiempo para hablar con alguien más. Si es propicio, hasta les puede pedir reportar al grupo sus hallazgos.

N NOTAS PARA SU NEGOCIO

Un presentador que escucha atentamente es considerado carismático. La gente seguirá su mensaje. Esté preparado para contestar las objeciones efectivamente, pero acuérdese siempre de terminar en un punto de concordancia.

6. Termine a la hora propicia

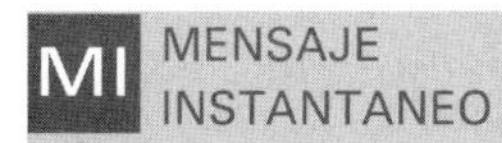

Cierre cuando esté listo su público.

Durante su presentación, continúe estudiando su público. Si nota que están listos para el cierre – entonces, cierre. Cuando ellos hacen notar que están listos para actuar, salte al final de su presentación.

Si percibe que cierto segmento de su presentación los tiene dormidos, pase rápidamente al próximo segmento. Omita cualquier información que no sea absolutamente esencial para la decisión que usted quiere que tomen.

Si está haciendo una presentación de ventas, ¿por qué no dejar a su público hacer la venta a si mismos? Antes de cerrar, pídeles hacer una lista de las tres cosas más valiosas que han escuchado hasta el momento. Si recibe en este punto alguna reacción negativa, ¡ALTO! ¡No cierre! Tome un paso atrás, modifique su enfoque y presente o vuelva a presentar cualquier información que podría cambiar su opinión. Si su respuesta es positiva, empiece a cerrar.

Una vez que esté listo para cerrar, busque señales de que su público esté dispuesto a comprometerse.

Algunas de las señales que indican que están listos para un cierre, son:

- Frases como "Me parece fantástico!" o "Eso me gusta..."
- Que asienten con la cabeza, o sonríen
- Preguntas sobre el costo, la disponibilidad o la garantía

" No se cautive tanto con el sonido de su propia voz que pasa por alto las señales que indican que su cliente está listo para comprar"

– Myers Barnes

Cerrando fuerte

EP ENTENDIMIENTO SOBRE PERSONALIDAD

Algunas señales de clausura están relacionadas con la personalidad.

D Los del tipo **D** han de decir algo sobre lo bueno que parece ser, o cómo lo usarán.

I Los del tipo **I** le dirán cómo sienten, cómo les gusta o cómo sentirían al usarlo.

S Los del tipo **S** le han de dar una sonrisa o asentirán con cabeza, quizás diciéndole algo alentador, o quizás sin decir nada.

C Los del tipo **C** han de hacerle muchas preguntas sobre por qué lo usarían de cierta manera.

Conteste sus preguntas y luego proceda al cierre. ¡Lo ha logrado!

N NOTAS PARA SU NEGOCIO

Puede sacar provecho de la experiencia de su entrenador o mentor, si le revela algunas de las señales que ha oído él. Es muy importante saber qué es lo que les ofrece en este momento. Si usted no entiende su oferta - su llamado a la acción – tampoco su público lo entenderá. Tenga cuidado de no confundirlos cuando llegan a este punto. Su conclusión debe ser sencilla y directa.

Asegúrese de identificar qué es lo que les está pidiendo hacer. A menos que usted les diga, ¡no sabrán que hacer con su presentación! La claridad es un indicio de un buen líder.

7. Cierre acertado, ¡no acelerado!

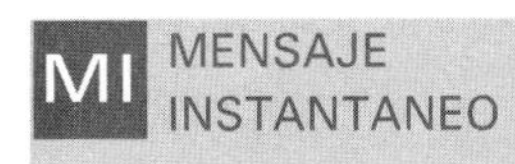

Planee un final convincente. Formule una frase sencilla que resuma y recapitule la información y conduce a tomar una decisión.

Su conclusión debe fijar la atención, clavarse en la memoria, y provocar una decisión a favor de usted. El público quiere y necesita un final que suene a final. Mencione los beneficios de su propuesta. Ayúdelos a ver y sentir lo que lograrán poner en marcha, si toman acción. Pinte una imagen con palabras que ilustre los beneficios de seguir su recomendación.

Deje suficiente tiempo para su conclusión, para no tener que hacerlo al apuro. Es muy importante planificar la conclusión. Una conclusión aburrida o decepcionante puede desvalorizar todo lo que acaba de decir y dejar a su público sin la necesidad ni el deseo de hacer nada. Sobre todo, no lea su conclusión. Es esencial mantener el contacto visual con su público durante su cierre. Las ideas que siguen le podrán ayudar a dar fuerza a su conclusión.

Rete al grupo

Esto surte efecto cuando se está proponiendo algo que requiere cambiar el statu quo. Puede preguntar algo como: " ¿Estamos/Están a la altura para ________________ ?"

Resuma las ideas principales que planteó

Aquí sería fantástico usar un soporte visual de su programa.

Presente las opciones

Resuma las alternativas posibles. De ser apropiado, resalte la opción que prefiere usted.

Plantee un escenario de "imagínense que"

Transporte a su público hacia el futuro con una descripción de los cambios que podrían esperar cuando toman los pasos que usted los invita a tomar. Plantee una imagen emocionante para que sientan el éxito. Hábleles como si ya hubieran tomado la acción que usted propone.

Proporcióneles hechos y cifras

Aunque ya haya citado estadísticas, vuelva a darles énfasis al final. Asegúrese, sin embargo, de que las estadísticas sean del tipo de provoca un deseo ardiente de tomar acción, ¡no un deseo ardiente de tomar una siesta!

Utilice una cita

Utilice las citas con moderación. Asegúrese de que sean completamente relevantes a su presentación y que ayuden a establecer su credibilidad. Asegúrese de que la persona, el estudio o el instituto que cite sea uno que goza del respeto de su público. Es mejor usar citas cortas que largas.

Termine como empezó

Si al inicio hizo un retrato con palabras para involucrarlos, haga referencia a él y complételo al final de la presentación.

Vuelva a hacer referencia a su soportes entre el público

Las recomendaciones personales de integrantes del público son muy útiles para convencer a los demás a favor de su propuesta. Imagínese el impacto de decir que habló durante el descanso con el jefe de ventas, y él ya le ha expresado un deseo de implementar su plan. Pero ¡primero asegúrese de tener el permiso del jefe de ventas para citarlo!

Pídales una decisión

Plantee una razón sólida por la que deben actuar en ese momento. Siempre debe cerrar con un llamado a acción. Expréselo con un sentido de urgencia, de la forma más persuasiva posible. Muchas presentaciones muy impactantes no producen ninguna acción por parte del público simplemente porque el presentador no explica qué deben hacer.

"C CITA *" Lo mejor que uno puede hacer por un cliente es eliminar su miedo."*

– Harry Beckwith

Vendiendo lo Invisible

EP ENTENDIMIENTO SOBRE PERSONALIDAD

Si está haciendo una presentación a un grupo grande, asegúrese de incluir en su cierre cuántas de estas ideas sea posible. Cada una apela a diferentes estilos de personalidad.

D A los del tipo **D** les encantará el reto y las opciones. Requerirán que usted les pida una decisión. Al fin de cuentas, si usted no tiene la fortaleza para pedir, ellos no quieren tratar con usted.

I A los del tipo **I** les encantará el retrato en palabras si la historia es buena. Ellos responderán también a sus sopoprtes entre el público o una cita, si es de alguien que conocen y les agrada.

S A los del tipo **S** les gustará que repase las ideas principales porque les ayuda a sentirse cómodos con sus ideas. Responderán bien a un escenario imaginario si les parece creíble.

C Los del tipo **C** enfocarán los datos claves. Querrán escuchar una descripción de los próximos pasos. Incluya estos pasos en su escenario imaginario

N NOTAS PARA SU NEGOCIO

Durante el cierre, resalte las ideas que apelarán más a los estilos de personalidad presentes entre su público. Si su público es un grupo grande, deberá incorporar algo para cada estilo de personalidad. Si su público consiste de sólo una o dos personas, debe simplemente centrarse en ellos.

8. Breve, bueno y basta

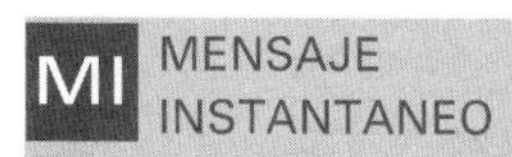

Voltaire dijo una vez," El secreto de ser aburrido es decirlo todo."

El simple hecho de haber realizado la investigación y descubierto muchas estadísticas interesantes no significa que lo tiene que decir todo. Los buenos presentadores no inundan a su público de datos. Organizan y presentan su mensaje de una manera que tenga significado para ese público específico, de tal forma que influirá una decisión positiva. No es necesario decir a su público todo lo que usted sabe. Dígales solamente lo que necesitan escuchar para persuadirse a aceptar su mensaje.

¿Cuántas veces realmente ha querido usted que un conferencista hablara más largo? Creemos que ¡no han de ser muchas! La mayoría de las presentaciones serían mucho más efectivas si terminaran en mucho menos tiempo.

" El mejor discurso que puede dar un vendedor es uno que dice todo lo que debe, pero no todo lo que puede."

– S. H. Simmons

EP ENTENDIMIENTO SOBRE PERSONALIDAD

Unos consejos para ayudar a cada tipo DISC:

D Los del tipo **D** deben seguir sus puntos, pero asegurarse de no perder a su público.

I Los del tipo **I** captan la atención de todos, pero deben asegurarse de seguir su programa y no olvidarse del tiempo.

S Los del tipo **S** mantienen a gusto al público, pero deben asegurarse de presentar a su público una decisión.

C Los del tipo **C** mantienen una secuencia lógica, pero deben asegurarse de incluir sólo los hechos más importantes. ¡Recuerde, que sea divertido!

N NOTAS PARA SU NEGOCIO

No hay más que decir que, "¡No lo complique!"

Después de la presentación: Comentarios y Seguimiento

Puede haber terminado la presentación, pero la relación continua. Lo que hace usted después de la presentación puede tan importante para su éxito como lo que hizo antes y durante la presentación.

1. Secretos de los clientes satisfechos
2. Para una mejora continua
3. Una colección de ideas para reflexionar

"¡Los comentarios son el desayuno de los campeones!"

– Ken Blanchard

1. Secretos de los clientes satisfechos

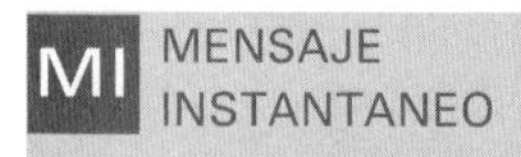

Conviértase en el experto sobre su público. Sepa por qué alguien lo escucharía. ¡Pida sus comentarios!

¿Sabe usted por qué su público toma acción después de su presentación? ¿Sabe usted por qué ciertos de sus clientes ahora están clasificados como "anteriores"? ¿Ha preguntado?

Emplee encuestas por telefax, correo electrónico, y teléfono para recopilar los comentarios de sus clientes. Sacará información sumamente valiosa de estas encuestas. En nuestra experiencia, mucha gente ha comentado que se impresionan simplemente por que hacemos el esfuerzo de pedir por sus impresiones. Puede realizar encuestas similares para determinar lo que la gente piensa de su estilo de presentación, imagen, productos, servicio, etc.

Cada año, realizamos una encuesta a 30-40 mejores clientes nuestros, enviándolos por correo electrónico o correo un formulario de comentarios de una sola página, que tarda sólo un par de minutos completar. En base a nuestra experiencia, les ofrecemos unos consejos:

- Use preguntas de opción múltiple o casillas de selección en lugar de preguntas en forma de ensayo.
- Si tomará más de dos minutos de esfuerzo, déles algún obsequio por completar y devolver la encuesta. Si no es posible darles un obsequio, haga más fácil completar la encuesta.
- En su nota adjunta, explique de forma muy clara y sencilla el proceso de la encuesta.
- El proceso debe parecerles sencillo. Pídales enviarle sus respuestas por telefax, correo tradicional o correo electrónico – use la tecnología más adecuada para que les sea fácil y consuma poco tiempo.
- Si da talleres o seminarios, use un formulario de comentarios al final de cada taller o seminario.

Para preparar una presentación convincente, necesita saber por qué a su público le gusta (o no le gusta) lo que usted ofrece. Necesita saber qué es lo que los hará actuar después de la presentación. Cuando sabe porqué la gente ha comprado en el pasado podrá rápida y eficazmente adecuar sus próximas presentaciones a las necesidades de su público. Recuerde - lo que necesita su público es lo que importa.

"¿Cuál es la razón principal por la que sigue tratando con esta compañía? Es que simplemente me siento a gusto con ellos."

– Harry Beck,
Vendiendo lo Invisible

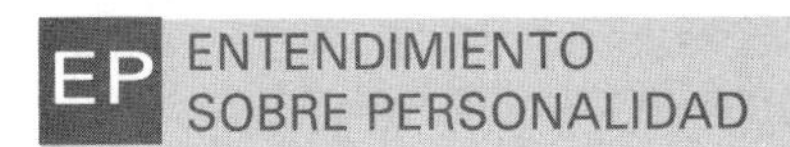

Redacte su encuesta con un tono amigable para captar a los del tipo **I** y **S**, orientados hacia las personas, que la reciben. Las instrucciones meticulosas y un lugar para los comentarios individuales contentarán a los del tipo **C**, orientados hacia los detalles. Las casillas de selección son esenciales, si quiere que respondan los del tipo **D** e **I**, de ritmo rápido. Animará a todos los estilos a responder si pide sus respuestas de forma personal.

En Personality Insights™, incluimos dos preguntas dirigidas para identificar el estilo de la persona que contestará.

Les preguntamos:

1. ¿Es usted más extrovertido o más reservado?

y

2. ¿Diría que es más orientado hacia las tareas o hacia las personas?

Estas preguntas nos ayudan a entender mejor sus respuestas.

N NOTAS PARA SU NEGOCIO

Haga una encuesta a sus clientes más nuevos para determinar las partes más (y menos) efectivas de su presentación. Pregúnteles qué fue lo más (y menos) atractivo para ellos, de lo que presentó usted. Use estas respuestas para afinar su presentación. Haga todo lo posible para mantenerse al corriente de los cambios en su sector o industria. Actualice sus ejemplos. Entre más tiempo está en el negocio, más le urge hacer encuestas a las personas para quienes la información es nueva. Es fácil olvidarse de cuánto ha aprendido con el paso del tiempo. Si entiende lo que la gente nueva a sus presentaciones ve como atractivo, podrá mantenerse interesante y al día.

2. Para una mejora continua

MI MENSAJE INSTANTANEO *¡A veces se gana, a veces se aprende!*

¡Qué presentación tan buena! Tómese un tiempo para evaluar su actuación y cómo la podrá mejorar para la próxima ocasión. Cuando encuentra algo que da resultados con el público, ¿se acuerda lo que es? Apúntelo enseguida. Ciertas cosas impactarán a múltiples públicos. Cáptelas para poder volverlas a usar. Aprenda a ser el mejor presentador que pueda.

Cinco errores comunes que perjudican sus resultados

1. Objetivos poco claros y poco específicos
2. Preparación inadecuada
3. Falta de entusiasmo o convicción auténtica
4. Primera impresión poco sólida
5. Ayudas visuales y materiales inadecuados

Primero, use los comentarios de su público para buscar evidencias de estos problemas en su presentación. Luego, desarrolle un plan de acción para corregir los problemas.

" Los perdedores hacen promesas que a menudo rompen. Los ganadores hacen compromisos que siempre cumplen."

– Denis Waitley

Los del tipo **D** e **I** ahora deben asegurarse de dar un seguimiento efectivo. Es posible que se aburran y no tomen apuntes para la próxima presentación, pero ¡no se olvidarán de celebrar su éxito! Los del tipo **S** y **C** pueden tomar más tiempo para elaborar sus apuntes y dar seguimiento, pero ¡no deben olvidarse de celebrar su éxito!

Si usted está trabajando con un equipo, dependa de los miembros de su equipo de estilos opuestos para dar equilibrio a su equipo.

Recuerde - *Juntos en Equipo Todos Logramos Más!.*

N NOTAS PARA SU NEGOCIO

Su mentor o entrenador es de suma importancia para su desarrollo y su éxito. Pídale ayudarle a dar seguimiento a su público y ¡asegúrese de pedir sus comentarios sobre su presentación para mejorarla y ser aún más efectivo en la próxima ocasión!

3. Una colección de ideas para reflexionar

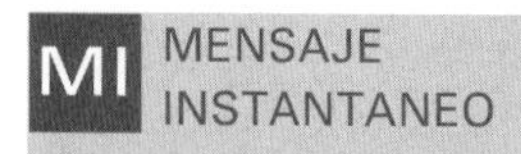

Siempre está haciendo una presentación. Para que su negocio crezca, mantenga afinadas sus destrezas.

- Cuando hace una presentación, haga cuenta que es rico y goza de independencia económica. Si la gente tiene la impresión de que usted necesita su aprobación o su negocio, se ha autocondenado. La gente compra porque les beneficia a ellos, no a usted.

- La primera "venta" (o acuerdo") debe ser algo simple. Para empezar el proceso, haga que su público exprese acuerdo con algo. Lo que quiera que esté "vendiendo", sea bienes, servicios o ideas, el principio es igual: una vez que toman la primera decisión de "compra", estarán más inclinados a "comprar" más si usted se los ofrece.

- Haga que sea fácil tratar con usted. Sea accesible. Si hace una presentación a un grupo, quédese después para contestar las preguntas del público. Si hace presentaciones de venta, debe ser fácil para sus clientes comunicarse con usted. Devuelva las llamadas de teléfono o mensajes por correo electrónico sin demora.

- Honre sus compromisos. Desarrolle sistemas que funcionan para usted y para sus clientes. Si su cliente quiere informes de progreso periódicos, envíelos. Si a su cliente no le gusta mucho detalle, envíele solamente lo principal. Adapte su forma de trabajar para satisfacer las necesidades de su cliente.

- Si trabaja en un ambiente de ventas, envíe a su cliente un resumen por escrito del acuerdo. Defina claramente sus expectativas y lo que usted entiende ser las expectativas de su cliente. Termine con testimoniales de otros a quienes ha ayudado en situaciones parecidas. Enfatice sus resultados.

- Dé seguimiento después de su presentación, con algo de valor para el público. Puede enviar un resumen por correo electrónico o una línea cronológica de lo esperado, tanto acciones como resultados. Permita fluir la comunicación para consolidar su relación.

CITA

" En este mundo hay más hambre por el amor y el aprecio que por el pan."

– Mother Teresa of Calcutta

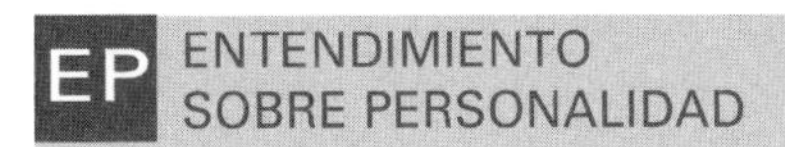

ENTENDIMIENTO SOBRE PERSONALIDAD

Pregunte a un conocido, cuyo estilo de personalidad es muy distinto al suyo, si entiende su enfoque. Esto puede ser difícil para usted, porque puede sentir que su conocido no lo ha entendido. *Recuerde que hay mucha gente exactamente igual a él, así que ¡respete la forma en que le puede ayudar a comunicar más efectivamente!*

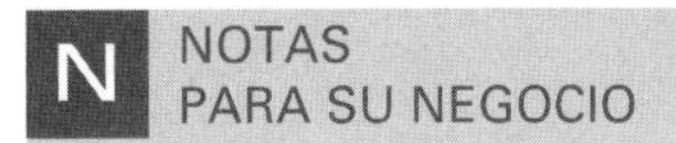

NOTAS PARA SU NEGOCIO

Estas ideas se aplican al proceso entero, desde la preparación hasta la presentación. Estas ideas tienen más que ver con las relaciones personales que con dotes teatrales. La meta principal que tiene usted después de la presentación es de fortalecer la relación para el largo plazo.

Recuerde - la gente compra a la gente, no a las empresas.

Ahora puede brillar más que nunca, al ...

Presentar con Estilo

El final de este libro es tan solo el principio para usted. Tome cada consejo y déle tiempo para llegar a formar parte de su estilo de presentación. Espere aprender algo de cada una de sus presentaciones, y ¡asegúrese de practicar con hechos! Encontrará que es en la presentación misma, y en la espera de grandes resultados, donde aprende más. Estos grandes resultados incluirán el aprender algo de cada persona que lo escucha e interactúa con usted. Será más convincente a medida que gane experiencia. ¡El éxito que logra crecerá mientras va creciendo usted! Sigue cultivando el entusiasmo. Esto empezó con su presentación, y puede crecer hasta lograr sus sueños y los de ellos.

Entonces, ¡hágalo!

Materiales de recurso

Tu Tienes Estilo

Por el Dr. Robert A. Rohm

Este libro sirve de guía excelente a un entendimiento de sí mismo y de los demás. Ofrece toda la información fundamental sobre los cuatro estilos de personalidad, junto con varios capítulos sobre la adaptación del estilo y la formación de equipos mejores. ¡*De fácil entendimiento y uso práctico!*

Descubra Su Verdadera Personalidad

Por el Dr. Robert A. Rohm

Este libro le dará una visión básica sobre los estilos del comportamiento humano. Muestra los diferentes rasgos de comportamiento de cada tipo de personalidad. Muestra los fundamentos para comprender el modelo DISC del comportamiento humano y así comprenderse a uno mismo y a los otros. De tal forma que le ayudara a llevarse mejor en sus relaciones personales.

Exito Acelerado

Por Tony Jeary

Tener en claro lo que uno realmente quiere, lo que significa el éxito para usted, y como acelerar tanto su éxito personal como profesional ambos forma la base de este título fundamental.

• Desarrolle y mantenga una actitud positiva y ganadora

Análisis del estilo de personalidad en línea.

En 15 minutos puede completar el análisis por Internet; descubra su estilo con precisión y luego descubra las claves para su éxito.

Este informe de 41 páginas - hecha a su medida - incluye explicaciones (con cuadros y gráficos) de los cuatro tipos de personalidad del modelo de comportamiento humano DISC, así como las mezclas de los diferentes tipos en cada persona.

Rotafolio DISC

Recurso de consulta rápida para tener a la mano esta valiosa información. Esta herramienta, de tamaño carta y a todo color, incluye: la Motivación Básica, Requisitos Ambientales, cómo responde mejor a un líder etc.

Disponible también en tamaño de bolsillo

Para los padres...

Juego de 4 rotafolios, diseñados para padres. Comprende las combinaciones Padre - Hijo de los estilos de personalidad DISC.

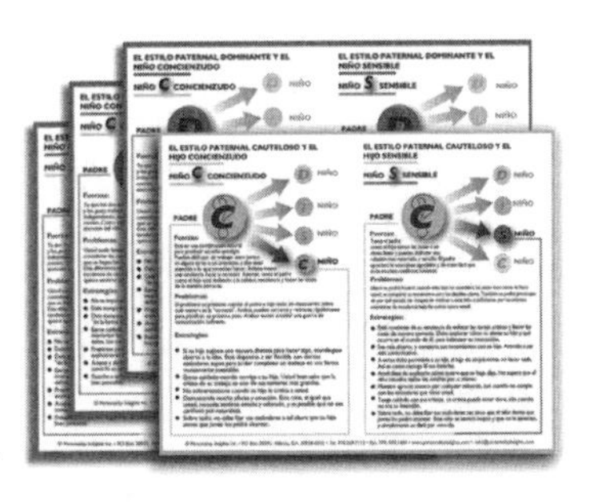

Con información detallada sobre las fortalezas,los problemas y estrategias para cada estilo.

También...

Libro de 254 páginas

www.personalityinsights.com

Para averiguar más acerca de nuevos materiales disponibles en español o para pedir materiales, favor de comunicarse con nosotros por telefax, correo electrónico o correo tradicional. De esta forma lo podremos servir mejor.

Fax: (770) 509-1484
Correo electrónico: info@personalityinsights.com
Correo regular: Personality Insights, Inc.
Post Office Box 28592 Atlanta, Georgia 30358-0592
Nuestro teléfono en los Estados Unidos es (770) 509-7113
(800) 509-3472, llamada gratis en los Estados Unidos.